Literatura e sociedade

Antonio Candido

Literatura e sociedade

Estudos de teoria
e história literária

todavia

A Maria Amélia e Sérgio Buarque de Holanda

Prefácio à 3ª edição

Os estudos deste livro (cuja primeira edição é de 1965) procuram focalizar vários níveis da correlação entre literatura e sociedade, evitando o ponto de vista mais usual, que se pode qualificar de paralelístico, pois consiste essencialmente em mostrar, de um lado, os aspectos sociais e, de outro, a sua ocorrência nas obras, sem chegar ao conhecimento de uma efetiva interpenetração.

Aqui há estudos de história literária mais ou menos convencional, como "Letras e ideias no período colonial"; e alguns nos quais as conexões sociais são mais acentuadas, como "Literatura e cultura de 1900 a 1945", mas sobretudo "A literatura na evolução de uma comunidade", onde a função da produção literária é referida constantemente à estrutura da sociedade.

Outros poderiam ser qualificados de estudos sobre aspectos sociais envolvidos no processo literário, como "A literatura e a vida social" e "O escritor e o público". Finalmente, há os que considero mais empenhados teoricamente: "Crítica e sociologia", "Estímulos da criação literária", "Estrutura literária e função histórica".

Nestes está formulado, em planos cada vez mais particularizados, o problema fundamental para a análise literária de grande número de obras, sobretudo de teatro e ficção: averiguar como a realidade social se transforma em componente de uma estrutura literária, a ponto dela poder ser estudada em si mesma; e como só o conhecimento desta estrutura permite compreender a função que a obra exerce.

Os referidos escritos esboçam uma posição segundo a qual a estrutura constitui aspecto privilegiado e ponto de referência para o trabalho analítico. Neste sentido, numa nota que está na página 29 desta edição, [onde uso as palavras "estrutural" e "funcional", eu falava nas edições precedentes em ponto de vista "estruturalista" ou "funcionalista",] termos que atualmente se repelem, tendo o primeiro adquirido conotação bastante diversa. De fato, a nota foi escrita em 1964, e logo depois ele passou a designar de modo avassalador, que não admite outras acepções, a aplicação do estruturalismo linguístico ao estudo da literatura, com amputação, ainda que de modo estratégico, das conexões histórico-sociais que isto importa. Mas o que eu desejava naquele tempo era apenas acentuar o relevo especial que deve ser dado à estrutura, como momento de uma realidade mais complexa, cujo conhecimento adequado não dispensa o estudo da circunstância onde mergulha a obra, nem da sua função.

A propósito, convém esclarecer que a acepção aqui utilizada foi desenvolvida com certa influência da antropologia social inglesa (tão atacada neste aspecto por Lévi-Strauss) e se aproximaria antes da noção de "forma orgânica", relativa a cada obra e constituída pela inter-relação dinâmica dos seus elementos, exprimindo-se pela "coerência". Aproximar-se-ia, portanto, de algo que constitui verdadeiro espantalho para muitos estruturalistas apegados à ideia de uma estrutura genérica, nunca específica, abstraída da realidade como um paradigma que se constrói. Isto é dito para esclarecer o uso de um termo; não para menoscabar uma tendência decisiva no progresso dos estudos de teoria literária, pois me convenço cada vez mais de que só através do estudo formal é possível aprender convenientemente os aspectos sociais.

Este livro se compõe na maior parte de formulações gerais e de estudos de períodos. Considero-o etapa inicial para os ensaios analíticos que venho elaborando desde 1964 e publicando aqui e ali desde 1970, para no futuro juntá-los em volume.

Antonio Candido de Mello e Souza
São Paulo, novembro de 1972

Primeira parte

Crítica e sociologia

(Tentativa de esclarecimento)

I

Nada mais importante para chamar a atenção sobre uma verdade do que exagerá-la. Mas também, nada mais perigoso, porque um dia vem a reação indispensável e a relega injustamente para a categoria do erro, até que se efetue a operação difícil de chegar a um ponto de vista objetivo, sem desfigurá--la de um lado nem de outro. É o que tem ocorrido com o estudo da relação entre a obra e o seu condicionamento social, que a certa altura do século passado chegou a ser vista como chave para compreendê-la, depois foi rebaixada como falha de visão, — e talvez só agora comece a ser proposta nos devidos termos. Seria o caso de dizer, com ar de paradoxo, que estamos avaliando melhor o vínculo entre a obra e o ambiente, após termos chegado à conclusão de que a análise estética precede considerações de outra ordem.

De fato, antes procurava-se mostrar que o valor e o significado de uma obra dependiam de ela exprimir ou não certo aspecto da realidade, e que este aspecto constituía o que ela tinha de essencial. Depois, chegou-se à posição oposta, procurando-se mostrar que a matéria de uma obra é secundária,

Nota — Este estudo é o desenvolvimento de uma pequena exposição feita sob a forma de intervenção nos debates do II Congresso de Crítica e História Literária, realizado na Faculdade de Filosofia, Ciências e Letras de Assis, em julho de 1961.

e que a sua importância deriva das operações formais postas em jogo, conferindo-lhe uma peculiaridade que a torna de fato independente de quaisquer condicionamentos, sobretudo social, considerado inoperante como elemento de compreensão.

Hoje sabemos que a integridade da obra não permite adotar nenhuma dessas visões dissociadas; e que só a podemos entender fundindo texto e contexto numa interpretação dialeticamente íntegra, em que tanto o velho ponto de vista que explicava pelos fatores externos, quanto o outro, norteado pela convicção de que a estrutura é virtualmente independente, se combinam como momentos necessários do processo interpretativo. Sabemos, ainda, que o *externo* (no caso, o social) importa, não como causa, nem como significado, mas como elemento que desempenha um certo papel na constituição da estrutura, tornando-se, portanto, *interno*.

Aqui, é preciso estabelecer uma distinção de disciplinas, lembrando que o tratamento *externo* dos fatores *externos* pode ser legítimo quando se trata de sociologia da literatura, pois esta não propõe a questão do valor da obra, e pode interessar-se, justamente, por tudo que é condicionamento. Cabe-lhe, por exemplo, pesquisar a voga de um livro, a preferência estatística por um gênero, o gosto das classes, a origem social dos autores, a relação entre as obras e as ideias, a influência da organização social, econômica e política etc. É uma disciplina de cunho científico, sem a orientação estética necessariamente assumida pela crítica.

O problema desta é diverso, e pode ser ilustrado por uma questão formulada por Lukács no início da sua carreira intelectual, antes de adotar o marxismo, que o levaria a concentrar-se por vezes demasiadamente nos aspectos políticos e econômicos da literatura. Discutindo o teatro moderno, estabelecia em 1914 a seguinte alternativa: "O elemento histórico-social possui, em si mesmo, significado para a estrutura da obra, e em que medida?". Ou "seria o elemento sociológico na forma dramática apenas a possibilidade de realização do valor estético [...] mas não determinante dele?".[1]

É este, com efeito, o núcleo do problema, pois quando estamos no terreno da crítica literária somos levados a analisar a intimidade das obras, e o que interessa é averiguar que fatores atuam na organização interna, de maneira a constituir uma estrutura peculiar. Tomando o fator social, procuraríamos determinar se ele fornece apenas matéria (ambiente, costumes, traços grupais, ideias), que serve de veículo para conduzir a corrente criadora (nos termos de Lukács, se apenas possibilita a realização do valor estético); ou se, além disso, é elemento que atua na constituição do que há de essencial na obra enquanto obra de arte (nos termos de Lukács, se é determinante do valor estético).

É o que vem sendo percebido ou intuído por vários estudiosos contemporâneos, que, ao se interessarem pelos fatores sociais e psíquicos, procuram vê-los como agentes da estrutura, não como enquadramento nem como matéria registrada pelo trabalho criador; e isto permite alinhá-los entre os fatores estéticos. A análise crítica, de fato, pretende ir mais fundo, sendo basicamente a procura dos elementos responsáveis pelo aspecto e o significado da obra, unificados para formar um todo indissolúvel, do qual se pode dizer, como Fausto do Macrocosmos, que tudo é tecido num conjunto, cada coisa vive e atua sobre a outra:

... alles sich zum Ganzen webt!
Eins in dem andern wirkt und lebt!

1 Georg Lukács, "Zur Soziologie des modernen Dramas", em *Schriften zur Literatursoziologie*. Neuwied: Hermann Luchterhand, 1961, p. 262.

Tomemos um exemplo simples: o do romance *Senhora*, de José de Alencar. Como todo livro desse tipo, ele possui certas dimensões sociais evidentes, cuja indicação faz parte de qualquer estudo, histórico ou crítico: referências a lugares, modas, usos; manifestações de atitudes de grupo ou de classe; expressão de um conceito de vida entre burguês e patriarcal. Apontá--las é tarefa de rotina e não basta para definir o caráter sociológico de um estudo.

Mas acontece que, além disso, o próprio assunto repousa sobre condições sociais que é preciso compreender e indicar, a fim de penetrar no significado. Trata-se da compra de um marido; e teremos dado um passo adiante se refletirmos que essa compra tem um sentido social simbólico, pois é ao mesmo tempo representação e desmascaramento de costumes vigentes na época, como o casamento por dinheiro. Ao inventar a situação crua do esposo que se vende em contrato, mediante pagamento estipulado, o romancista desnuda as raízes da relação, isto é, faz uma análise socialmente radical, reduzindo o ato ao seu aspecto essencial de compra e venda. Mas, ao vermos isto, ainda não estamos nas camadas mais fundas da análise, — o que só ocorre quando este traço social constatado é visto funcionando para formar a estrutura do livro.

Se, pensando nisto, atentarmos para a composição de *Senhora*, veremos que repousa numa espécie de longa e complicada transação, — com cenas de avanço e recuo, diálogos construídos como pressões e concessões, um enredo latente de manobras secretas, — no correr da qual a posição dos cônjuges se vai alterando. Vemos que o comportamento do protagonista exprime, em cada episódio, uma obsessão pelo ato de compra a que se submeteu, e que as relações humanas se deterioram por causa dos motivos econômicos. A heroína, endurecida no desejo de vingança, possibilitada pela posse do dinheiro, inteiriça a alma como se fosse agente duma operação de esmagamento do outro por meio do capital, que o reduz a coisa possuída. E as próprias imagens do estilo manifestam a mineralização da personalidade, tocada pela desumanização capitalista, até que a dialética romântica do amor recupere a sua normalidade convencional. No conjunto, como no pormenor de cada parte, os mesmos princípios estruturais enformam a matéria.

Referindo esta verificação às anteriores, feitas em nível mais simples, constatamos que se o livro é ordenado em torno desse longo duelo, é porque o duelo representa a transposição, no plano da estrutura do livro, do mecanismo da compra e venda. E, neste caso de relações que deveriam pautar-se por uma exigência moral mais alta, a compra e venda funciona como verdadeira conspurcação. Esta não é afirmada abstratamente pelo romancista, nem apenas ilustrada com exemplos, mas sugerida na própria composição do todo e das partes, na maneira por que organiza a matéria, a fim de lhe dar uma certa expressividade.

Quando fazemos uma análise deste tipo, podemos dizer que levamos em conta o elemento social, não exteriormente, como referência que permite identificar, na matéria do livro, a expressão de uma certa época ou de uma sociedade determinada; nem como enquadramento, que permite situá-lo historicamente; mas como fator da própria construção artística, estudado no nível explicativo e não ilustrativo.

Neste caso, saímos dos aspectos periféricos da sociologia, ou da história sociologicamente orientada, para chegar a uma interpretação estética que assimilou a dimensão social como fator de arte. Quando isto se dá, ocorre o paradoxo assinalado inicialmente: o *externo* se torna *interno* e a crítica deixa de ser sociológica, para ser apenas crítica. O elemento social se torna um dos muitos que interferem na economia do livro, ao lado dos psicológicos, religiosos, linguísticos e outros. Neste nível de análise, em que a estrutura constitui o ponto de referência, as divisões pouco importam, pois tudo se transforma, para o crítico, em fermento orgânico de que resultou a diversidade coesa do todo.

Está visto que, segundo esta ordem de ideias, o ângulo sociológico adquire uma validade maior do que tinha. Em compensação, não pode mais ser imposto como critério único, ou mesmo preferencial, pois a importância de cada fator depende do caso a ser analisado. Uma crítica que se queira integral deixará de ser unilateralmente sociológica, psicológica ou linguística, para utilizar livremente os elementos capazes de conduzirem a uma interpretação coerente. Mas nada impede que cada crítico ressalte o elemento da sua preferência, desde que o utilize como componente da estruturação da obra. E nós verificamos que o que a crítica moderna superou não foi a orientação sociológica, sempre possível e legítima, mas o sociologismo crítico, a tendência devoradora de tudo explicar por meio dos fatores sociais.

Coisa semelhante aconteceu, aliás, na própria sociologia, cuja evolução modificou as suas relações com a crítica. Os estudiosos estão habituados a pensar, neste tópico, segundo posições estabelecidas no século XIX, quando ela estava na fase das grandes generalizações sistemáticas, que levavam a conceber um condicionamento global da obra, da personalidade literária ou dos conjuntos de obras pelos sistemas sociais, principalmente do ângulo histórico. Todavia, a marcha da pesquisa e da teoria levou a um senso mais agudo das relações entre o traço e o contexto, permitindo desviar a atenção para o aspecto estrutural e funcional de cada unidade considerada. Isto se deu ao mesmo tempo em que nos estudos críticos a análise descia ao papel das unidades estilísticas, consideradas chaves para conhecer o sentido do todo; e, em ambos os casos, com absoluta predominância do aspecto sincrônico sobre o diacrônico.

Portanto, falar hoje em ponto de vista sociológico nos estudos literários deveria significar coisa bastante diversa do que foi há cinquenta anos. A mudança nos dois campos provocará certamente um refluxo sobre a sociologia da literatura, que não apenas tenderá à pesquisa concreta (como vem sugerida, por exemplo, no livro de Robert Escarpit, *La Sociologie de la littérature*), mas deixará de lado as ambiciosas explicações causais de sabor oitocentista. O perigo, tanto na sociologia quanto na crítica, está em que o pendor pela análise oblitere a verdade básica, isto é, que a precedência lógica e empírica pertence ao todo, embora apreendido por uma referência constante à função das partes. Outro perigo é que a preocupação do estudioso com a integridade e a autonomia da obra exacerbe, além dos limites cabíveis, o senso da função interna dos elementos, em detrimento dos aspectos históricos, — dimensão essencial para apreender o sentido do objeto estudado.

De qualquer modo, convém evitar novos dogmatismos, lembrando sempre que a crítica atual, por mais interessada que esteja nos aspectos formais, não pode dispensar nem menosprezar disciplinas independentes como a sociologia da literatura e a história literária sociologicamente orientada, bem como toda a gama de estudos aplicados à investigação de aspectos sociais das obras, — frequentemente com finalidade não literária.

2

Para fixar ideias e delimitar terrenos, pode-se tentar uma enumeração das modalidades mais comuns de estudos de tipo sociológico em literatura, feitos conforme critérios mais ou menos tradicionais e oscilando entre a sociologia, a história e a crítica de conteúdo.

[Um primeiro tipo seria formado por trabalhos que procuram relacionar o conjunto de uma literatura, um período, um gênero, com as condições sociais] É o método tradicional, esboçado no século XVIII, que encontrou porventura em Taine o maior representante e foi tentado entre nós por Sílvio Romero. A sua maior virtude consiste no esforço de discernir uma ordem geral, um arranjo, que facilita o entendimento das sequências históricas e traça o panorama das épocas[O seu defeito está na dificuldade de mostrar efetivamente, nesta escala, a ligação entre as condições sociais e as obras] Daí quase sempre, como resultado decepcionante, uma composição paralela, em que o estudioso enumera os fatores, analisa as condições políticas, econômicas, e em seguida fala das obras segundo as suas intuições ou os seus preconceitos herdados, incapaz de vincular as duas ordens de realidade. Isto é tanto mais grave quanto, para a maioria dos estudiosos desta linha, há entre ambas um nexo causal de tipo determinista. É o que se pode observar não apenas em obras de menor alcance intelectual, mas em trabalhos de rigorosa informação e bom nível, como *Drama and Society in the Age of Jonson*, de L. C. Knights.

Os estudos deste tipo ficam ainda mais decepcionantes quando o estudioso, deixando a tarefa de relacionar com a sociedade o conjunto de uma literatura, ou um gênero, transporta o referido paralelismo à interpretação de obras e escritores isolados, que servem de mero pretexto para apontar aspectos e problemas sociais, cuja exposição não precisaria desta mediação duvidosa, — como é o caso do livro de Heitor Ferreira Lima sobre Castro Alves.

[Um segundo tipo poderia ser formado pelos estudos que procuram verificar a medida em que as obras espelham ou representam a sociedade, descrevendo os seus vários aspectos] É a modalidade mais simples e mais comum, consistindo basicamente em estabelecer correlações entre os aspectos reais e os que aparecem no livro. Quando se fala em crítica sociológica, ou em sociologia da literatura, pensa-se geralmente nessa modalidade, que tem um arquétipo ilustre no *La Fontaine et ses fables*, de Taine. Um exemplo de bom nível é o estudo de W. H. Bruford sobre a fidelidade com que a sociedade russa do tempo de Tchékhov é representada nas suas peças e contos (*Chekhov and His Russia*).

[Se este segundo tipo tende mais à sociologia elementar do que à crítica literária, o terceiro é apenas sociologia, e muito mais coerente, consistindo no estudo da relação entre a obra e o público, — isto é, o seu destino, a sua aceitação, a ação recíproca de ambos] Exemplo conhecido é o ensaio de Levin Schücking, no *Handwörterbuch der Soziologie*, de Vierkandt, "Sociologia do gosto literário", mais tarde posto em volume e traduzido em várias línguas. Apesar do renome, não passa de uma indicação das pesquisas a serem feitas neste sentido.

Há outros de teor menos sistemático, e em compensação mais ancorados nos fatos, como [*Le Public et la vie littéraire à Rome*, de A.-M. Guillemin. *Fiction and the Reading Public*, de Q. D. Leavis, explora a função da literatura junto aos leitores] Quando o autor aborda o problema histórico da aceitação pública através do tempo, surge uma variante geralmente menos sociológica e mais baseada nos levantamentos tradicionais da erudição; é o que se observa igualmente em estudos similares de literatura comparada, como o *Byron et le romantisme français*, de Edmond Estève.

Ainda quase exclusivamente dentro da sociologia se situa o quarto tipo, que estuda a posição e a função social do escritor, procurando relacionar a sua posição com a natureza da sua produção e ambas com a organização da sociedade. No terreno genérico, temos uma série de obras fora do âmbito literário, como a de Geiger sobre o estatuto e a tarefa do intelectual (*Aufgaben und Stellung der Intelligenz in der Gesellschaft*), ou as importantes considerações da sociologia do conhecimento, em particular de Mannheim. É exemplar, no campo histórico, o espírito com que Henri Brunschwig utiliza este ângulo para analisar a situação e o papel dos intelectuais na formação da sociedade alemã moderna (*La Crise de l'État prussien à la fin du XVIIIᵉ siècle*). No campo literário, é conhecida a monografia de Alexandre Beljame sobre o homem de letras na Inglaterra setecentista.

Desdobramento do anterior é o quinto tipo, que investiga a função política das obras e dos autores, em geral com intuito ideológico marcado. Nos nossos dias tem tido a preferência dos marxistas, — compreendendo desde as formulações primárias da crítica de partido até as observações matizadas e não raro poderosas de Lukács, na obra posterior a 1930. Na Itália, além dos fragmentos de Gramsci, há uma floração significativa de obras deste tipo, com uma liberdade pouco frequente nos autores de orientação marxista em outros países, como é o caso de Galvano della Volpe.

⌈Lembremos, finalmente, um sexto tipo, voltado para a investigação hipotética das origens, seja da literatura em geral, seja de determinados gêneros⌋ Estão nesta chave certas obras clássicas, como a de Gunmere sobre as raízes da poesia, a de Bücher sobre a correlação entre o trabalho e o ritmo poético, ou a investigação marxista de Christopher Caudwell sobre a natureza e as origens da poesia. Muito mais sólido é o estudo de George Thomson sobre as raízes sociais da tragédia grega, norteado igualmente pelas diretrizes do marxismo (*Aeschylus and Athens*).

Todas estas modalidades e suas numerosas variantes são legítimas e, quando bem conduzidas, fecundas, na medida em que as tomarmos, não como crítica, mas como teoria e história sociológica da literatura, ou como sociologia da literatura, embora algumas delas satisfaçam também as exigências próprias do crítico. Em todas nota-se o deslocamento de interesse da obra para os elementos sociais que formam a sua matéria, para as circunstâncias do meio que influíram na sua elaboração, ou para a sua função na sociedade.

Ora, tais aspectos são capitais para o historiador e o sociólogo, mas podem ser secundários e mesmo inúteis para o crítico, interessado em interpretar, se não forem considerados segundo a função que exercem na economia interna da obra, para a qual podem ter contribuído de maneira tão remota que se tornam dispensáveis para esclarecer os casos concretos.

Com efeito, todos sabemos que a literatura, como fenômeno de civilização, depende, para se constituir e caracterizar, do entrelaçamento de vários fatores sociais. Mas, daí a determinar se eles interferem diretamente nas características essenciais de determinada obra, vai um abismo, nem sempre transposto com felicidade. Do mesmo modo, sabemos que a constituição neuroglandular e as primeiras experiências da infância traçam o rumo do nosso modo de ser. Decorrerá necessariamente que a constituição neuroglandular e as experiências infantis de um determinado escritor deem a chave para entender e avaliar a sua obra, como ainda recentemente pretendeu mostrar J.-P. Weber de maneira tão exclusivista e radical em *La Genèse de l'oeuvre poétique*? Estas questões, fáceis de abordar no plano especulativo, se tornam de resposta difícil quando passamos a cada autor, mas ajudam a firmar a noção básica neste terreno, isto é: não se trata de afirmar ou negar uma dimensão evidente do fato literário; e sim, de averiguar, do ângulo específico da crítica, se ela é decisiva ou apenas aproveitável para entender as obras particulares.

O primeiro passo (que apesar de óbvio deve ser assinalado) é ter consciência da relação arbitrária e deformante que o trabalho artístico estabelece com a realidade, mesmo quando pretende observá-la e transpô-la rigorosamente, pois a mimese é sempre uma forma de poiese] Conta o médico Fernandes Figueira, no livro *Velaturas* (com o pseudônimo de Alcides Flávio), que o seu amigo Aluísio Azevedo o consultou, durante a composição de *O homem*, sobre o envenenamento por estricnina; mas não seguiu as indicações recebidas. Apesar do escrúpulo informativo do Naturalismo, desrespeitou os dados da ciência e deu ao veneno uma ação mais rápida e mais dramática, porque necessitava que assim fosse para o seu desígnio.

Esta liberdade, mesmo dentro da orientação documentária, é o quinhão da fantasia, que às vezes precisa modificar a ordem do mundo justamente para torná-la mais expressiva; de tal maneira que o sentimento da verdade se constitui no leitor graças a esta traição metódica. Tal paradoxo está no cerne do trabalho literário e garante a sua eficácia como representação do mundo. Achar, pois, que basta aferir a obra com a realidade exterior para entendê-la é correr o risco de uma perigosa simplificação causal.

Mas se tomarmos o cuidado de considerar os fatores sociais (como foi exposto) no seu papel de formadores da estrutura, veremos que tanto eles quanto os psíquicos são decisivos para a análise literária, e que pretender definir sem uns e outros a integridade estética da obra é querer, como só o barão de Münchhausen conseguiu, arrancar-se de um atoleiro puxando para cima os próprios cabelos.

3

Em muitos críticos de orientação sociológica já se nota o esforço de mostrar essa interiorização dos dados de natureza social, tornados núcleos de elaboração estética. O próprio Lukács, quando não incorre em certas limitações do sectarismo político, indica de maneira convincente que, por exemplo, *I promessi sposi*, de Manzoni, é um supremo romance histórico porque a construção literária exprime uma visão coerente da sociedade descrita (*Der historische Roman*). De maneira mais detalhada, Arnold Kettle sugere que a estrutura do *Oliver Twist*, de Dickens, é literariamente eficaz e sugestiva enquanto o autor desenvolve o contraste entre o egoísmo bem-pensante e a inconsciência da burguesia com o mundo revolto do crime, que se pressupõem mutuamente, e entre os quais é sacudido o pequeno protagonista. Mas, quando o recolhe ao seio da bondade conciliadora do avô, que atenua o travo da desigualdade e das contradições sociais, a composição perde o mordente e mesmo a coerência profunda, causando a queda de qualidade que todo leitor sensível repara a certa altura (*The English Novel*, v. I). Num caso e noutro, temos o efeito de uma determinada visão da sociedade atuando como fator estético e permitindo compreender a economia do livro.

Este problema ocorre, amplificado em sentido diverso, e prejudicado por certo luxo especulativo, na obra de Lucien Goldmann, que tem procurado mostrar como a criação, não obstante singular e autônoma, decorre de uma certa visão do mundo, que é fenômeno coletivo na medida em que foi elaborada por uma classe social, segundo o seu ângulo ideológico próprio. Embora não considere os problemas de fatura (como Kettle), tenta demonstrar que a visão peculiar transmitida pela tragédia raciniana se aparenta com a que deriva do pensamento de Pascal; e que ambas radicam, de maneira especial e independente, no pessimismo jansenista, por meio do qual um importante setor da burguesia francesa, desajustado na estrutura de castas então reinante, exprimiu ideologicamente este desajuste (*Le Dieu caché*).

Em todos estes casos, o fator social é invocado para explicar a estrutura da obra e o seu teor de ideias, fornecendo elementos para determinar a sua validade e o seu efeito sobre nós. Num plano menos explícito e mais sutil, mencionemos a tentativa de Erich Auerbach, fundindo os processos estilísticos com os métodos histórico-sociológicos para investigar os fatos da literatura (*Mimesis: Dargestellte Wirklichkeit in der abendländischen Literatur*). Foi a propósito de tentativas semelhantes que Otto Maria Carpeaux aludiu a um método sintético, a que chamou "estilístico-sociológico", na "Introdução" da sua magnífica *História da literatura ocidental*. Tal método, cujo aperfeiçoamento será decerto uma das tarefas desta segunda metade do século, no campo dos estudos literários, permitirá levar o ponto de vista sintético à intimidade da interpretação, desfazendo a dicotomia tradicional entre fatores *externos* e *internos*, que ainda serve atualmente para suprir a carência de critérios adequados. Veremos então, provavelmente, que os elementos de ordem social serão filtrados através de uma concepção estética e trazidos ao nível da fatura, para entender a singularidade e a autonomia da obra. E isto será o avesso do que se observava na crítica determinista, contra a qual se rebelaram justamente muitos críticos deste século, pois ela anulava a individualidade da obra, integrando-a numa visão demasiado ampla e genérica dos elementos sociais, como se vê no seu exemplo maior: o brilhante esquematismo de Taine, ao estudar a literatura inglesa.

No estágio ainda insatisfatório em que nos achamos, a situação é de caráter polêmico, dada a insegurança dos pontos de vista. São por isso compreensíveis certos exageros compensatórios, que vão ao extremo oposto e afirmam que a obra, no que tem de significativo, é um todo que se explica a si mesmo, como um universo fechado. Este estruturalismo radical, cabível como um dos momentos da análise, é inviável no trabalho prático de interpretar, porque despreza, entre outras coisas, a dimensão histórica, sem a qual o pensamento contemporâneo não enfrenta de maneira adequada os problemas que o preocupam. Mas às suas diversas modalidades devemos resultados fecundos, como o referido conceito de organicidade da obra, que, embora conhecido pela crítica anterior, recebeu das correntes modernas o que lhe faltava: instrumentos de investigação, inclusive terminologia adequada.

⌐Hoje sentimos que, ao contrário do que pode parecer à primeira vista, é justamente esta concepção da obra como organismo que permite, no seu estudo, levar em conta e variar o jogo dos fatores que a condicionam e motivam; pois quando é interpretado como elemento de estrutura, cada fator se torna componente essencial do caso em foco, não podendo a sua legitimidade ser contestada nem glorificada a priori.²⌐

2 Por ter escolhido, como ponto de referência, a linha que se poderia chamar funcional, ou estrutural, deixo de mencionar outras tentativas de interesse, como as que decorrem da obra de Kenneth Burke, voltada para a análise da literatura como forma de comunicação simbólica, envolvendo o individual e o social num processo dialético. Ver a sua aplicação, ao lado de outras sugestões, em Hugh Dalziel Duncan, *Language and Literature in Society*. Chicago: Chicago University Press, 1953.

A literatura e a vida social

I

Não desejo aqui propor uma teoria sociológica da arte e da literatura, nem mesmo fazer uma contribuição original à sociologia de ambas; mas apenas focalizar aspectos sociais que envolvem a vida artística e literária nos seus diferentes momentos.

Do século passado aos nossos dias, este gênero de estudos tem permanecido insatisfatório, ou ao menos incompleto, devido à falta de um sistema coerente de referência, isto é, um conjunto de formulações e conceitos que permitam limitar objetivamente o campo de análise e escapar, tanto quanto possível, ao arbítrio dos pontos de vista. Não espanta, pois, que a aplicação das ciências sociais ao estudo da arte tenha tido consequências frequentemente duvidosas, propiciando relações difíceis no terreno do método.

Com efeito, sociólogos, psicólogos e outros manifestam às vezes intuitos imperialistas, tendo havido momentos em que julgaram poder explicar apenas com os recursos das suas disciplinas a totalidade do fenômeno artístico. Assim, problemas que desafiavam gerações de filósofos e críticos pareceram de repente facilmente solúveis, graças a um simplismo que não raro levou ao descrédito as orientações sociológicas e

Nota — Este estudo é a redação de uma conferência pronunciada, em 1957, na Sociedade de Psicologia, São Paulo.

31

psicológicas, como instrumentos de interpretação do fato literário. É inútil recordar, neste sentido, famosas reduções esquemáticas, que se poderiam reduzir a fórmulas, como: "Dai-me o meio e a raça, eu vos darei a obra"; ou: "Sendo o talento e o gênio formas especiais de desequilíbrio, a obra constitui essencialmente um sintoma", e assim por diante.

A propósito, e para evitar equívocos, mencionemos um trecho de Sainte-Beuve, que parece exprimir exatamente as relações entre o artista e o meio:

> O poeta não é uma resultante, nem mesmo um simples foco refletor; possui o seu próprio espelho, a sua mônada individual e única. Tem o seu núcleo e o seu órgão, através do qual tudo o que passa se transforma, porque ele combina e cria ao devolver à realidade.[1]

O primeiro cuidado em nossos dias é, portanto, delimitar os campos e fazer sentir que a sociologia não passa, neste caso, de disciplina auxiliar; não pretende explicar o fenômeno literário ou artístico, mas apenas esclarecer alguns dos seus aspectos. Em relação a grande número de fatos dessa natureza, a análise sociológica é ineficaz, e só desorientaria a interpretação; quanto a outros, pode ser considerada útil; para um terceiro grupo, finalmente, é indispensável. Dele nos ocuparemos.

Neste ponto, surge uma pergunta: qual a influência exercida pelo meio social sobre a obra de arte? Digamos que ela deve ser imediatamente completada por outra: qual a influência exercida pela obra de arte sobre o meio? Assim poderemos chegar mais perto de uma interpretação dialética, superando o caráter mecanicista das que geralmente predominam.

---

1 Apud René Bady, *Introduction à l'étude de la littérature française*. Friburgo: Éditions de la Librairie de l'Université, 1943, p. 31.

⌈Algumas das tendências mais vivas da estética moderna estão empenhadas em estudar como a obra de arte plasma o meio, cria o seu público e as suas vias de penetração, agindo em sentido inverso ao das influências externas.⌋ Esta preocupação é visível na obra estética de Malraux e notória em trabalhos recentes de Étienne Souriau e Mikel Dufrenne.[2]

Este estudo abordará de preferência o primeiro aspecto, — sem desdenhar de todo o segundo, — começando por indagar quais são as possíveis influências efetivas do meio sobre a obra.

Há neste sentido duas respostas tradicionais, ainda fecundas conforme o caso, que devem todavia ser afastadas numa investigação como esta⌈A primeira consiste em estudar em que medida a arte é expressão da sociedade; a segunda, em que medida é *social*, isto é, interessada nos problemas sociais⌋

Dizer que ela exprime a sociedade constitui hoje verdadeiro truísmo; mas houve tempo em que foi novidade e representou algo historicamente considerável. No que toca mais particularmente à literatura, isto se esboçou no século XVIII, quando filósofos como Vico sentiram a sua correlação com as civilizações, Voltaire, com as instituições, Herder, com os povos. Talvez tenha sido Madame de Staël, na França, quem primeiro formulou e esboçou sistematicamente a verdade que a literatura é também um produto social, exprimindo condições de cada civilização

2 André Malraux, *Les Voix du silence*. Paris: Gallimard, 1951; Étienne Souriau, "L'Art et la vie sociale", *Cahiers Internationaux de Sociologie*, v. V, 1948, pp. 66-96; Mikel Dufrenne, "Pour une Sociologie du public", *Cahiers Internationaux de Sociologie*, v. VI, 1949, pp. 101-112; id., *Phénoménologie de l'expérience esthétique*, 2 v. Paris: Presses Universitaires de France, 1953, sobretudo v. I, cap. 3, pp. 81-110.

em que ocorre.[3] Durante o século XIX não se foi muito além desta verificação de ordem geral, adequada mais aos panoramas do que aos casos concretos, mesmo quando Taine introduziu o conceito mais flexível e rico de momento, para completar o meio e a raça dos tratadistas anteriores.[4] Na prática, chegou-se à posição criticamente pouco fecunda de avaliar em que medida certa forma de arte ou certa obra correspondem à realidade. E pululuram análises superficiais, que tentavam explicar a arte na medida em que ela descreve os modos de vida e interesses de tal classe ou grupo, verdade epidérmica, pouco satisfatória como interpretação. Exemplo típico é o livro sobre Martins Pena, onde Sílvio Romero se limita a descrever os tipos criados pelo teatrólogo e indicar que espelham os da vida corrente.[5]

[A segunda tendência é a de analisar o conteúdo social das obras, geralmente com base em motivos de ordem moral ou política, redundando praticamente em afirmar ou deixar implícito que a arte deve ter um conteúdo deste tipo, e que esta é a medida do seu valor.]Como se vê, é mais afirmação de princípios do que hipótese de investigação; representa o retorno, em vestes de sociologia ou filosofia do século XIX, da velha tendência sectária que levava Bossuet a proscrever o teatro, e hoje irmana marxistas sectários e católicos rígidos na condenação

3 Ver uma exposição do vínculo entre Madame de Staël e os seus predecessores alemães em Mary M. Colum, *From these Roots: The Ideas That Have Made Modern Literature.* Nova York: Columbia University Press, 1944.
4 Ver Harry Levin, "Literature as an Institution", em Morton Dauwen Zabel, *Literary Opinion in America.* Nova York: Harper & Brothers, 1951, para uma exposição atualizada do papel de Taine e suas ideias e, ao mesmo tempo, para avaliar o atraso em que estão críticos de alta qualidade, como Levin, no tratamento do problema, por se manterem, ainda, mais ou menos presos a uma concepção demasiado genérica.
A exposição sistemática das ideias de Taine se encontra, de modo sucinto, na famosa introdução da *Histoire de la littérature anglaise.* 17. ed. Paris: Hachette, [s.d.], v. I, pp. V-XLIV.   5 Sílvio Romero, *Martins Pena: Ensaio crítico.* Porto: Chardron, 1900.

de obras que não correspondam aos valores das suas ideologias respectivas. Talvez a formulação mais famosa nesta ordem de ideias, e sem dúvida a mais coerente no seu radicalismo, seja o estudo em que Tolstói julga, sem apelo, as obras que não lhe parecem transmitir uma mensagem moral adequada ao anarquismo místico da sua velhice.[6]

Para o sociólogo moderno, ambas as tendências tiveram a virtude de mostrar que a arte é social nos dois sentidos: depende da ação de fatores do meio, que se exprimem na obra em graus diversos de sublimação; e produz sobre os indivíduos um efeito prático, modificando a sua conduta e concepção do mundo, ou reforçando neles o sentimento dos valores sociais. Isto decorre da própria natureza da obra e independe do grau de consciência que possam ter a respeito os artistas e os receptores de arte.

Para a sociologia moderna, porém, interessa principalmente analisar os tipos de relações e os fatos estruturais ligados à vida artística, como causa ou consequência. Neste sentido, a própria literatura hermética apresenta fenômenos que a tornam tão social, para o sociólogo, quanto a poesia política ou o romance de costumes, como é o caso do desenvolvimento de uma linguagem pouco acessível, com a consequente diferenciação de grupos iniciados, e efeitos positivos e negativos nas correntes de opinião.

Assim, a primeira tarefa é investigar as influências concretas exercidas pelos fatores socioculturais. É difícil discriminá-los, na sua quantidade e variedade, mas pode-se dizer que os mais decisivos se ligam à estrutura social, aos valores e ideologias, às técnicas de comunicação. O grau e a maneira por que influem estes três grupos de fatores variam conforme

6 Liev Tolstói, *What Is Art? and Essays on Art*. Trad. de A. Maude. Oxford: Oxford University Press, 1942.

o aspecto considerado no processo artístico[Assim, os primeiros se manifestam mais visivelmente na definição da posição social do artista, ou na configuração de grupos receptores; os segundos, na forma e conteúdo da obra; os terceiros, na sua fatura e transmissão. Eles marcam, em todo o caso[os quatro momentos da produção, pois: a) o artista, sob o impulso de uma necessidade interior, orienta-o segundo os padrões da sua época, b) escolhe certos temas, c) usa certas formas e d) a síntese resultante age sobre o meio.]

Como se vê, não convém separar a repercussão da obra da sua feitura, pois, sociologicamente ao menos, ela só está acabada no momento em que repercute e atua, porque, sociologicamente, a arte é um sistema simbólico de comunicação inter-humana, e como tal interessa ao sociólogo.[Ora, todo processo de comunicação pressupõe um comunicante, no caso o artista; um comunicado, ou seja, a obra; um comunicando, que é o público a que se dirige; graças a isso define-se o quarto elemento do processo, isto é, o seu efeito.[7]]

Este caráter não deve obscurecer[o fato da arte ser, eminentemente, comunicação expressiva, expressão de realidades profundamente radicadas no artista, mais que transmissão de noções e conceitos.]Neste sentido, depende essencialmente da intuição, tanto na fase criadora quanto na fase receptiva, dando impressão a alguns, como Croce, que exprime apenas traços irredutíveis da personalidade, desvinculados, no que possuem de essencial, de quaisquer condicionantes externos. Embora um sociólogo não possa aceitar as consequências teóricas da sua estética idealista, o fato é que ela tem o mérito de assinalar este aspecto intuitivo e expressivo da arte, vendo a poesia, por exemplo, como um tipo de linguagem, que manifesta o

7 Ver, a propósito destes elementos, Hartley e Hartley, *Fundamentals of Social Psychology*. Nova York: Knopf, 1952, caps. II-VII, notadamente p. 27.

seu conteúdo na medida em que é forma, isto é, no momento em que se define a expressão. A palavra seria pois, ao mesmo tempo, forma e conteúdo, e neste sentido a estética não se separa da linguística.[8]

Mas, justamente porque é uma comunicação expressiva, a arte pressupõe algo diferente e mais amplo do que as vivências do artista. Estas seriam nela tudo, se fosse possível o solipsismo; mas na medida em que o artista recorre ao arsenal comum da civilização para os temas e formas da obra, e na medida em que ambos se moldam sempre ao público, atual ou prefigurado (como *alguém* para quem se exprime *algo*), é impossível deixar de incluir na sua explicação todos os elementos do processo comunicativo, que é integrador e bitransitivo por excelência.

Este ponto de vista leva a investigar a maneira por que são condicionados socialmente os referidos elementos, que são também os três momentos indissoluvelmente ligados da produção, e se traduzem, no caso da comunicação artística, como *autor, obra, público.* A atuação dos fatores sociais varia conforme a arte considerada e a orientação geral a que obedecem as obras. Estas — de um ponto de vista sociológico — podem dividir-se em dois grupos, dando lugar ao que chamaríamos dois tipos de arte, sobretudo de literatura, e que sugiro para fixar as ideias em vista da discussão subsequente, não com o intuito de estabelecer uma distinção categórica: arte de agregação e arte de segregação.

A primeira se inspira principalmente na experiência coletiva e visa a meios comunicativos acessíveis. Procura, neste sentido, incorporar-se a um sistema simbólico vigente, utilizando o que já está estabelecido como forma de expressão de determinada

8 Benedetto Croce, *Estetica come scienza dell'espressione e linguistica generale.* 8. ed. Bari: Laterza, 1946, passim.

sociedade. A segunda se preocupa em renovar o sistema simbólico, criar novos recursos expressivos e, para isto, dirige-se a um número ao menos inicialmente reduzido de receptores, que se destacam, enquanto tais, da sociedade.

A objeção imediata é que, na verdade, não se trata de dois tipos, sendo, como são, aspectos constantes de toda obra, ocorrendo em proporção variável segundo o jogo dialético entre a expressão grupal e as características individuais do artista. Mas se considerarmos apenas a predominância de um ou de outro, a distinção pode ser mantida, o que nos interessa aqui sobremaneira, pois foi feita com o pensamento em dois fenômenos sociais muito gerais e importantes: a integração e a diferenciação. A integração é o conjunto de fatores que tendem a acentuar no indivíduo ou no grupo a participação nos valores comuns da sociedade. A diferenciação, ao contrário, é o conjunto dos que tendem a acentuar as peculiaridades, as diferenças existentes em uns e outros. São processos complementares, de que depende a socialização do homem; a arte, igualmente, só pode sobreviver equilibrando, à sua maneira, as duas tendências referidas.

2

Se encararmos os fatores presentes em bloco na estrutura social, nos valores e nas técnicas de comunicação, veremos logo a necessidade de particularizar o seu campo de atuação. Tomemos os três elementos fundamentais da comunicação artística — autor, obra, público — e vejamos sucessivamente como a sociedade define a posição e o papel do artista; como a obra depende dos recursos técnicos para incorporar os valores propostos; como se configuram os públicos. Tudo isso interessa na medida em que esclarecer a produção artística, e, embora nos ocupemos aqui principalmente com um dos sentidos

38

da relação (sociedade→arte), faremos as referências necessárias para que se perceba a importância do outro (arte→sociedade). Com efeito, a atividade do artista estimula a diferenciação de grupos; a criação de obras modifica os recursos de comunicação expressiva; as obras delimitam e organizam o público. Vendo os problemas sob esta dupla perspectiva, percebe-se o movimento dialético que engloba a arte e a sociedade num vasto sistema solidário de influências recíprocas.

1. A posição do artista

A posição social é um aspecto da estrutura da sociedade. No nosso caso, importa averiguar como esta atribui um papel específico ao criador de arte, e como define a sua posição na escala social, o que envolve não apenas o artista individualmente, mas a formação de grupos de artistas. Daí sermos levados a indicar sucessivamente o aparecimento individual do artista na sociedade como posição e papel configurados; em seguida, as condições em que se diferenciam os grupos de artistas; finalmente, como tais grupos se apresentam nas sociedades estratificadas.

Comecemos lembrando que houve um tempo em que se exagerou muito o aspecto coletivo da criação, concebendo-se o povo, no conjunto, como criador de arte. Esta ideia de obras praticamente anônimas, surgidas da coletividade, veio sobretudo da Alemanha, onde Wolff afirmou, no século XVIII, que os poemas atribuídos a Homero haviam sido, na verdade, criação do gênio coletivo da Grécia, através de múltiplos cantos em que os aedos recolhiam a tradição, e que foram depois reunidos numa unidade precária. Tempos depois, a coletânea de contos populares dos irmãos Grimm veio como prova aparente das hipóteses deste tipo, — sem que se atentasse para o abismo que vai entre a ingênua história folclórica e o refinamento, a altura de concepção da *Ilíada* e da *Odisseia*. Nessa mesma era, encharcada de *Volksgeist*, esboçaram-se teorias sobre a formação popular das epopeias e romances medievais, o que era facilitado pela míngua de informação a respeito dos autores. Hoje, está superada esta noção de cunho acentuadamente romântico, e sabemos que a obra exige necessariamente a presença do artista criador. O que chamamos arte coletiva é a arte criada pelo indivíduo a tal ponto identificado às aspirações e valores do seu tempo, que parece dissolver-se nele, sobretudo levando em conta que, nestes casos, perde-se quase sempre a identidade do criador-protótipo.

Devido a um e outro motivo, à medida que remontamos na história temos a impressão duma presença cada vez maior do coletivo nas obras; e é certo, como já sabemos, que forças sociais condicionantes guiam o artista em grau maior ou menor. Em primeiro lugar, determinando a ocasião da obra ser produzida; em segundo, julgando da necessidade dela ser produzida; em terceiro, se vai ou não se tornar um bem coletivo.

Os elementos individuais adquirem significado social na medida em que as pessoas correspondem a necessidades coletivas; e estas, agindo, permitem por sua vez que os indivíduos possam exprimir-se, encontrando repercussão no grupo. As relações entre o artista e o grupo se pautam por esta circunstância e podem ser esquematizadas do seguinte modo: em primeiro lugar, há necessidade de um agente individual que tome a si a tarefa de criar ou apresentar a obra; em segundo lugar, ele é ou não reconhecido como criador ou intérprete pela sociedade, e o destino da obra está ligado a esta circunstância; em terceiro lugar, ele utiliza a obra, assim marcada pela sociedade, como veículo das suas aspirações individuais mais profundas.

40

Considerações deste tipo fazem ver o que há de insatisfatório e pouco exato nas discussões que procuram indagar, como alternativas mutuamente exclusivas, se a obra é fruto da iniciativa individual ou de condições sociais, quando na verdade ela surge na confluência de ambas, indissoluvelmente ligadas. Isto nos leva a retomar o problema, indagando qual é a função do artista, qual a sua posição social e quais os limites da sua autonomia criadora. O último ponto ficará esclarecido com a discussão dos dois primeiros e com a apresentação subsequente do problema do público.

As características da arte paleolítica tendem a provar que, sejam quais forem as utilizações comunitárias ou práticas da arte primitiva, ela dependia do exercício do talento individual. [...] Devemos pôr de lado a ideia de que as pinturas foram produto casual do lazer forçado de uma tribo de caçadores, ou mesmo subprodutos de cultos mágicos. Elas estavam sem dúvida associadas a tais atividades, mas o pressuposto da sua produção foi a existência de raros indivíduos dotados de sensibilidade e habilidade expressiva excepcionais.[9]

Assim a arte pressupõe um indivíduo que assume a iniciativa da obra. Mas precisa ele ser necessariamente um artista, definido e reconhecido pela sociedade como tal? Ou, em termos sociológicos, a produção da arte depende de posição social e papéis definidos em função dela? A resposta seria: conforme a sociedade, o tipo de arte e, sobretudo, a perspectiva considerada. Se para a atitude romântica a coletividade é criadora, no outro polo um estudioso contemporâneo, Hauser, acha que as pinturas pré-históricas já demonstram a existência de um artista especializado, uma espécie de feiticeiro-artista,

9 Herbert Read, *Art and Society*. Nova York: Pantheon, [s.d.], pp. 14-15.

dispensado das tarefas de produção econômica para poder de certa maneira especializar-se.[10]

Isto significaria o reconhecimento da sua função social desde as sociedades pré-históricas, sendo preciso notar que Hauser entra pelo terreno da conjectura; mas de qualquer modo sugere o vínculo estreito entre a arte e a sociedade, por meio da diferenciação precoce da função do artista. Poder-se-ia talvez dizer que nas sociedades primitivas ocorre o reconhecimento desta sempre que corresponda a necessidades coletivas. E qual seria a necessidade social de reconhecer a identidade e a posição do artista, ou, por outras palavras, de pressupor a existência de um artista definido como tal? Respondamos por meio de dois exemplos.

Entre os tonga, grupo banto de Moçambique, existe o costume da louvação pública dos chefes. Em consequência, surge um tipo de louvador por assim dizer profissional, uma espécie de poeta palaciano: são os *mbongi*, ou "arautos", como traduz Junod, que precedem os homens importantes, cantando poemas laudatórios, principalmente sobre a sua genealogia.[11] É sem dúvida uma função social, que realça certos aspectos da estrutura e reforça o sistema de dominação, traduzindo-se pelos papéis atribuídos a tais arautos, peças essenciais da etiqueta dos tonga, e que se diferenciam como grupo de artistas parasitários.

Mas existem também, entre os primitivos, verdadeiros embriões de artistas profissionais, como se vê pelo segundo exemplo, tomado a Rivers. Este registra, nas ilhas Banks, o costume das pessoas possuírem uma canção pessoal, que as distingue (se couber a expressão contraditória) como um brasão oral, e de

---

10 Arnold Hauser, *The Social History of Art*, 2 v. Londres: Routledge & Kegan Paul, 1951, v. I, pp. 39-45.   11 Henri A. Junod, *Moeurs et coutumes des Bantous: La Vie d'une tribu sud-africaine*, 2 v. Paris: Payot, 1936, v. I, pp. 395-399.

que necessitam para serem bem recebidas além-túmulo pelos espíritos dos mortos. Entretanto, como nem todos são capazes de elaborar essas canções, intervêm indivíduos bem-dotados, que tendem a especializar-se como compositores. As cantigas são encomendadas a eles mediante pagamento, parte adiantado, parte depois da tarefa pronta.[12] Aí está um outro tipo de necessidade social, determinando o aparecimento de uma função, que o artista desempenha como papel reconhecido e remunerado.

Em todo o caso, a existência de artista realmente profissional, que vive da sua arte, dedicando-se apenas a ela, não é frequente entre os primitivos e constitui, via de regra, desenvolvimento mais recente. Nas sociedades arcaicas ele não se diferencia sempre claramente de outros papéis, correspondentes a outras funções, porque a arte, notadamente a poesia, não se encontra ela própria diferenciada de outras manifestações culturais. Nas sociedades modernas, a autonomia da arte permite atribuir a qualidade de artista mesmo a quem a pratique ao lado de outras atividades; assim é que um poeta que seja inspetor de ensino, como foi Alberto de Oliveira, ou médico, como Jorge de Lima, não confunde as esferas de atividade e é identificado socialmente pelo papel de maior relevo na situação considerada, funcionando não raro o de artista (são os casos citados) como apoio para o desempenho de outros e como eixo central da personalidade socialmente definida. Mas, quando a própria arte não se dissocia com nitidez, o artista permanece mergulhado no sincretismo das funções.

Caso esclarecedor é o da construção de canoas entre os trobriandeses, da Melanésia, que Malinowski imortalizou

12 W. H. R. Rivers, *The History of Melanesian Society*, 2 v. Cambridge: Cambridge University Press, 1914, v. 1, pp. 78-79.

nos livros porventura mais belos da etnologia moderna. O trabalho de fabricação é confiado a um especialista, que atua ajudado ora pelos parentes (deste modo iniciados no ofício), ora pelo proprietário e por toda a comunidade. As fases, desde o corte da árvore até o lançamento ao mar, são pontilhadas de esconjuros e invocações, na maior parte de acentuado teor poético, proferidos conforme a importância do momento pelo construtor, o proprietário, ou o mágico.[13] Temos neste caso uma união realmente indissolúvel entre a técnica material, a magia, a poesia, repartindo-se, além disso, as responsabilidades entre três papéis sociais diferentes. Não é possível, no caso, falar de um artista, embora a sua função integre de modo latente a construção da canoa. A mesma verificação pode ser feita, no tocante às atividades agrícolas, pelo exame do abundante material apresentado noutra obra de Malinowski.[14]

Uma vez reconhecidos como tais, os artistas podem permanecer desligados entre si ou vincular-se, seja por meio de uma consciência comum, seja pela formação de grupos geralmente determinados pela técnica. Esta é, em grau maior ou menor, pressuposto de toda arte, envolvendo uma série de fórmulas e modos de fazer que, uma vez estabelecidos, devem ser conservados e transmitidos. É então frequente nas civilizações primitivas, mas também nas históricas, a existência de certas confrarias que as detêm e nelas iniciam outros indivíduos. Nestes grupos diferenciados e coesos, cuja sociabilidade se alimenta da atividade técnica, podemos ver um tipo de atuação da arte na configuração da estrutura social.

13 Bronislaw Malinowski, *Argonauts of the Western Pacific*. Londres: Routledge, 1932, caps. V, VI, XVII e XVIII.   **14** Id., *Coral Gardens and Their Magic*, 2 v. Nova York: American Book Company, 1935, passim.

Eles são decisivos nas civilizações sem escrita, pois sabemos que as técnicas são perecíveis e que a sua conservação acarreta problemas delicados de preservação, iniciação e transmissão, que só podem ser resolvidos mediante uma forte concentração de sociabilidade em torno delas. Vemos então a arte se associar ao segredo e ao rito, dando lugar à formação de grupos esotéricos, subordinando a aprendizagem a condições de ordem iniciatória.[15]

Não é apenas entre os primitivos, todavia, que a arte assume aspectos marcadamente grupais. Nas altas civilizações acontece o mesmo, bastando lembrar as confrarias de aedos na Grécia ou, na Idade Média, as de construtores de catedrais. A sociedade como que destaca do seu meio um agrupamento detentor dos segredos técnicos, para realizar num dado setor as necessidades de todos.

Nas sociedades estratificadas e de estrutura mais complexa, podemos notar a influência das camadas sociais sobre a distribuição e o caráter dos grupos de artistas e intelectuais, que tendem a diferenciar-se funcionalmente conforme o tipo de hierarquia social. Em um estudo famoso, Max Weber descreve como se formou a elite intelectual da China, sob a pressão de injunções administrativas, dando lugar ao mandarinato, recrutado pelo saber mediante um complicado e árduo critério de provas. Peritos na caligrafia — que na China é realmente uma arte — os mandarins se exprimiam por verdadeiro estilo de casta. Este estilo constituiu um fator de diferenciação grupal, como requintado instrumento acessível a poucos pela sutileza, o uso do chiste, o maneirismo,

---

15 Vejam-se os dados reunidos sobre a força associativa dos ofícios, inclusive os de caráter artístico e pré-científico, em Richard Thurnwald, *L'Économie primitive*. Trad. de Charles Mourey. Paris: Payot, 1937, pp. 157-185.

chegando os funcionários letrados a enviar relatórios sob a forma de poema didático.[16]

No Ocidente medieval, os intelectuais e artistas se congregavam em agrupamentos por vezes poderosos. Se os tomarmos em relação à estratificação social, veremos que ela os ordenou à sua imagem, orientando em consequência a sua produção. Assim, temos o clérigo — filósofo, teólogo, cientista — assimilado ao estamento religioso; o trovador, assimilado ao estamento cavaleiresco, ou girando em torno dos seus valores; os arquitetos e pintores, identificados aos ofícios burgueses — para não mencionar os jograis de toda espécie, criando e difundindo poesia pelas camadas populares. É desnecessário frisar o quanto semelhantes correlações influíam diretamente nos temas e na forma das obras.

2. A configuração da obra

A obra depende estritamente do artista e das condições sociais que determinam a sua posição. Mas por motivo de clareza preferi relacionar ao artista os aspectos estruturais propriamente ditos. Quanto à obra, focalizemos o influxo exercido pelos valores sociais, ideologias e sistemas de comunicação, que nela se transmudam em conteúdo e forma, discerníveis apenas logicamente, pois na realidade decorrem do impulso criador como unidade inseparável. Aceita, porém, a divisão, lembremos que os valores e ideologias contribuem principalmente para o conteúdo, enquanto as modalidades de comunicação influem mais na forma.

A poesia das sociedades primitivas permite avaliar a importância da experiência cotidiana como fonte de inspiração, sobretudo com referência às atividades e objetos fortemente

---

16 Max Weber, "Die Wirtschaftsethik der Weltreligionen", Iª parte, em *Gesammelte Aufsätze zur Religionssoziologie*. 4. ed. Tübingen: Mohr, 1947, pp. 395-430.

impregnados de valor pelo grupo. À medida que fala deles, o poeta assegura a sua posição de intérprete, num sentido que a nós poderia frequentemente parecer anestético. É o caso do poema esquimó citado por Boas, no qual as mulheres celebram a volta de uma caçada feliz, com versos deste tipo:

Nossos maridos vêm chegando, eu vou comer!

E o autor comenta que

pode parecer de todo prosaico para quem não conheça as privações da vida esquimó; mas talvez estes versos insignificantes deem vazão à alegria de ver os homens voltando imunes dos perigos da caça, mais à perspectiva de uma alegre noitada, com todos reunidos para comer e palrar.[17]

Aí está um caso em que determinada atividade se transforma em ocasião e matéria de poesia, pelo fato de representar para o grupo algo singularmente prezado, o que garante o seu impacto emocional. Lembremos um exemplo mais chegado à nossa tradição artística e literária: a constituição e voga dos gêneros e estilos pastorais, que exprimem na origem uma atividade econômica básica para a sobrevivência dos gregos, a criação de cabras e ovelhas, com os costumes decorrentes dos seus pastores. Entretanto, mais tarde, a poesia pastoral desprendeu-se das motivações imediatas e carregou-se de valores mitológicos e simbólicos (como a nostalgia da Idade de Ouro), para chegar finalmente a ser um requinte artificial de sociedades urbanas, baseadas em economia totalmente diversa, como as do Ocidente europeu durante o Renascimento e depois dele.

17 Franz Boas, "Literature, Music and Dance", em id. (Org.), *General Anthropology*. Nova York: Heath & Company, 1938, pp. 594-595.

Num setor em que os valores assumem nítido caráter ideológico, atente-se para a influência decisiva e imensurável do cristianismo nas artes, dando lugar à formação de constantes que perduram até os nossos dias, nos temas da pintura, da escultura, da música, da literatura. Se as rosáceas, estátuas e vitrais das igrejas floresceram em imagens de santos e demônios, símbolos marianos e alegorias bíblicas, a *Divina comédia* é construída em torno de princípios teológicos, dividida em um número ritual de versos e cantos, desenvolvendo um sistema alusivo em torno dos valores intelectuais e afetivos da religião. No Siglo de Oro espanhol, os problemas de aperfeiçoamento espiritual deram lugar a uma rica poesia, refinando--se no hermetismo de imagens correspondentes aos movimentos interiores, como a *"noche oscura"*, o *"ciervo herido"*, o "amado" e a "amada", de São João da Cruz. Em nossos dias o bolchevismo, na sua fase ascendente, deu lugar a um tipo de romance coletivista, em que os protagonistas são substituídos pelo esforço anônimo da massa, como *O cimento*, de Fiódor Gladkov; e a uma poesia sintética, agressiva e marcante, tendendo, nas mãos de alguns, ao cartaz poético, feito para a apreensão imediata das multidões, como nos versos de circunstância de Maiakóvski.

Tanto quanto os valores, as técnicas de comunicação de que a sociedade dispõe influem na obra, sobretudo na forma, e, através dela, nas suas possibilidades de atuação no meio. Estas técnicas podem ser imateriais — como o estribilho das canções, destinadas a ferir a atenção e a gravar-se na memória; ou podem associar-se a objetos materiais, como o livro, um instrumento musical, uma tela.

Sabemos, por exemplo, que a forma moderna do quarteto musical se definiu, no século XVIII, em grande parte devido ao fato dos seresteiros vienenses não poderem transportar o cravo, necessário ao "baixo contínuo", e precisarem, em consequência, desenvolver um novo sistema de coordenação dos instrumentos de corda.[18] Em poesia, o refrão, a recapitulação, a própria medida do verso estão ligados ao fato dela se haver originado em fases onde não havia escrita, prendendo-se, pois, necessariamente, aos requisitos da enunciação verbal, às exigências de memorização, audição etc. Quem lê os poemas homéricos nota imediatamente a recorrência de fórmulas, a constância dos atributos, a repetição de invocações, episódios, reflexões, e mesmo — o que parece estranho a um moderno — a presença de trechos optativos, os famosos *doublets*, que tanto preocupam os eruditos. Um intérprete racionalista seria levado, como Victor Bérard, a ver em quase tudo isto interpolações devidas às vicissitudes por que passaram os manuscritos antigos. Os estudiosos mais prudentes lembram que "essas repetições têm algo de refrão e podem estar criando atmosfera"; que os "poemas são essencialmente obras cantadas, cantadas por episódios, não na íntegra"; que os *doublets* "podem ser originais", a fim de que os aedos "tivessem a possibilidade de escolher entre duas versões segundo o que desejassem declamar ou conforme o público a que se dirigiam".[19]

Mas, no momento em que a escrita triunfa como meio de comunicação, o panorama se transforma. A poesia deixa de depender exclusivamente da audição, concentra-se em valores intelectuais e pode, inclusive, dirigir-se de preferência à vista, como os poemas em forma de objetos ou figuras, e, modernamente, os "caligramas" de Apollinaire. A poesia pura do nosso tempo esqueceu o auditor e visa principalmente a um

---

18 Cf. Rosemary Hughes, *Haydn*. Londres: Dent, 1950, pp. 152-153.
19 Robert Aubreton, *Introdução a Homero*, Universidade de São Paulo, Faculdade de Filosofia, Ciências e Letras, Boletim n. 214, 1956, pp. 55-56.

leitor atento e reflexivo, capaz de viver no silêncio e na meditação o sentido do seu canto mudo.

Todos sabem — para dar mais um exemplo — a influência decisiva do jornal sobre a literatura, criando gêneros novos, como a chamada crônica, ou modificando outros já existentes, como o romance. Com a invenção do folhetim romanesco por Gustave Planche na França, no decênio de 1820, houve uma alteração não só nos personagens, mas no estilo e técnica narrativa. É o clássico "romance de folhetim", com linguagem acessível, temas vibrantes, suspensões para nutrir a expectativa, diálogo abundante com réplicas breves. Por sua vez, este gênero veio a influir poderosamente, quase um século depois, sobre a nova arte do cinema, que se difundiu em grande parte, na fase muda, graças aos seriados, que obedeciam mais ou menos aos mesmos princípios, ajustados à tela.

Lembremos, enfim, que é impossível imaginar as grandes sonatas de Beethoven escritas para cravo ou espineta; foi a introdução do piano, com a sua imensa riqueza sonora, que lhe permitiu aquelas obras-primas, para as quais, na falta dele, teria forçosamente de recorrer a outros meios.[20]

3. O público

O último ponto a considerar é o do receptor de arte (notadamente de literatura), que integra o público em seus diferentes aspectos. As influências sociais são aqui tão marcadas quanto nos casos vistos anteriormente, a começar pelas estruturais.

---

[20] Ver Beniamino dal Fabbro, *Crepuscolo del pianoforte*. Turim: Einaudi, 1951, onde há indicações muito inteligentes sobre a relação entre o piano e os tipos correspondentes de composição e execução.

No que se refere às sociedades primitivas, ou aos grupos rústicos, ainda à margem da escrita e das modernas técnicas de comunicação, é menos nítida a separação entre o artista e os receptores, não se podendo falar muitas vezes num público propriamente dito, em sentido corrente. O pequeno número de componentes da comunidade e o entrosamento íntimo das manifestações artísticas com os demais aspectos da vida social dão lugar seja a uma participação de todos na execução de um canto ou dança, seja à intervenção dum número maior de artistas, seja a uma tal conformidade do artista aos padrões e expectativas, que mal chega a se distinguir. Na vida do caipira paulista vemos manifestações como a cana-verde, onde praticamente todos os participantes se tornam poetas, trocando versos e apodos; ou o cururu tradicional, onde o número de cantadores pode ampliar-se ao sabor da inspiração dos presentes, ampliando-se os contendores.

À medida, porém, que as sociedades se diferenciam e crescem em volume demográfico, artista e público se distinguem nitidamente. Só então se pode falar em público diferenciado, no sentido moderno — embora haja sempre, em qualquer sociedade, o fenômeno básico de um segmento do grupo que participa da vida artística como elemento receptivo, que o artista tem em mente ao criar, e que decide do destino da obra, ao interessar-se por ela e nela fixar a atenção. Mas, enquanto numa sociedade menos diferenciada os receptores se encontram, via de regra, em contato direto com o criador, tal não se dá as mais das vezes em nosso tempo, quando o público não constitui um grupo, mas um conjunto informe, isto é, sem estrutura, de onde podem ou não desprender-se agrupamentos configurados. Assim, os auditores de um programa de rádio, ou os leitores dos romancistas contemporâneos, podem dar origem a um "clube dos amigos do cantor X", ou dos "leitores de Erico Verissimo". Ou podem, esporadicamente, reunir-se em grupos limitados para congressos e iniciativas. Mas o seu estado normal é de "massa abstrata", ou "virtual", como a caracterizou Von Wiese.[21]

[Existem, numa sociedade contemporânea, várias dessas coleções informes de pessoas, espalhadas por toda parte, formando os vários públicos das artes] Elas aumentam e se fragmentam à medida que cresce a complexidade da estrutura social, tendo como denominador comum apenas o interesse estético. A sua ação é enorme sobre o artista. Desgostoso com a pouca ressonância dos seus romances, Thomas Hardy abandona a ficção e se dedica exclusivamente à poesia. Premido pela exigência dos leitores, Conan Doyle ressuscita Sherlock Holmes — que lhe interessava secundariamente — e prolonga por mais vinte anos a série das suas aventuras. Desejosos de fama e bens materiais, muitos autores modernos se ajustam às normas do romance comercial.

Vejamos agora a influência de um fator sociocultural, a técnica, sobre a formação e caracterização dos públicos. No caso da literatura, ou da música, as manifestações primitivas se ligam necessariamente à transmissão imediata, por contato direto, e isto se junta aos motivos já apontados de ordem estrutural para limitar o público e intensificar a sua relação com o artista, criador ou executante, e frequentemente ambas as coisas. A invenção da escrita (para o caso da literatura) mudou esta situação, abrindo uma era em que foram tendendo a predominar os públicos indiretos, de contatos secundários, já referidos, e que adquiriram ímpeto vertiginoso com a invenção da tipografia e o fim do mecenato estamental. Em nossos

21 Leopold von Wiese, *System der Allgemeinen Soziologie*. 2. ed. Munique; Leipzig: Duncker & Humblot, 1933, pp. 406-446.

dias, invenções como o fonógrafo e o rádio, para o caso da música, e a reprodução generalizada dos quadros, para a pintura, em condições de admirável fidelidade, deram lugar a um tipo inteiramente novo de público, alterando a própria atitude geral em face da arte, como ressalta nítido nos estudos de Malraux.[22]

Se nos voltarmos agora para o comportamento artístico dos públicos, veremos uma terceira influência social, a dos valores, que se manifestam sob várias designações — gosto, moda, voga — e sempre exprimem as expectativas sociais, que tendem a cristalizar-se em rotina. A sociedade, com efeito, traça normas por vezes tirânicas para o amador de arte, e muito do que julgamos reação espontânea de nossa sensibilidade é, de fato, conformidade automática aos padrões. Embora esta verificação fira a nossa vaidade, o certo é que muito poucos dentre nós seriam capazes de manifestar um juízo livre de injunções diretas do meio em que vivemos.

Em 1837 Liszt deu em Paris um concerto, onde se anunciava uma peça de Beethoven e outra de Pixis, obscuro compositor já então considerado de qualidade ínfima. Por inadvertência, o programa trocou os nomes, atribuindo a um a obra de outro, de tal modo que a assistência, composta de gente musicalmente culta e refinada, cobriu de aplausos calorosos a de Pixis, que aparecia como de Beethoven, e manifestou fastio desprezivo em relação a esta, chegando muitos a se retirarem.[23] Este fato verídico ilustra com mais eloquência do que qualquer exposição o que pretendo sugerir, isto é, que mesmo quando pensamos ser nós mesmos, somos público,

22 André Malraux, *Les Voix du silence*, op. cit., sobretudo a primeira parte, "Le Musée imaginaire". Aí, o autor chega a dizer que "a reprodução criou artes fictícias" (p. 22). **23** É o próprio Liszt quem relata a ocorrência, que cito conforme Stanley Edgar Hyman, *The Armed Vision*. Nova York: Knopf, 1948, pp. 323-324.

pertencemos a uma massa cujas reações obedecem a condicionantes do momento e do meio.]

Como tendemos a introjetar as normas sociais, a nossa reação é perfeitamente sincera e nos dá satisfação equivalente à das descobertas, tanto positivas quanto negativas. A este respeito, lembremos a queda brusca da alta conta em que foi tido Charles Morgan pelas elites cultas do Brasil (que nele foram iniciadas pelas da França, através da crítica), no momento em que se verificou a sua nenhuma cotação na Inglaterra, onde foi sempre considerado escritor de terceira ordem, hábil e ameno pastichador sem personalidade, incapaz de satisfazer aos que falavam a mesma língua dele... Ou, no terreno da música, o sincero enfado que o público habitual dos concertos vai sentindo em relação à tríade clássica Haydn-Mozart-Beethoven, e o correspondente entusiasmo pelos italianos barrocos, agora redescobertos: Corelli, Geminiani, Vivaldi etc. Há algo mais que humor e ironia nos conselhos "para parecer entendido", com que um autor recente termina o seu livro, indicando de maneira jocosa certos tipos de atitude e comentário que, embora não exprimam com sinceridade o nosso julgamento ou a nossa cultura real, servem para despertar nos outros uma impressão de requinte.[24] Eles exprimem a necessidade, insuspeitada em muitos, de aderir ao que nos parece distintivo de um grupo, minoritário ou majoritário, ancorando a nossa reação no reconhecimento coletivo.

3

Se forem válidas, as considerações anteriores mostram de que maneira os fatores sociais atuam concretamente nas

---

24 Roland de Candé, *Ouverture pour une discothèque*. Paris: Seuil, 1957, pp. 287-288.

artes, em especial na literatura. Não desejo insinuar que as influências apontadas sejam as únicas, nem, sobretudo, que bastem para explicar a obra de arte e a criação, como deixei claro de início. Muitos escritores, mais incompreendidos que Hardy, persistem no seu rumo; muitos amadores resistem ao gosto geral; sem falar que os impulsos pessoais predominam na verdadeira obra de arte sobre quaisquer elementos sociais a que se combinem. Mas num plano mais profundo, encontraremos sempre a presença do meio, num sentido como o que sugeri; e se for legítimo o estudo sociológico da arte (o que não sofre dúvida), os traços estudados parecem ponderáveis.

Terminando, desejo voltar à relação inextricável, do ponto de vista sociológico, entre a obra, o autor e o público, cuja posição respectiva foi apontada. Na medida em que a arte é — como foi apresentada aqui — um sistema simbólico de comunicação inter-humana, ela pressupõe o jogo permanente de relações entre os três, que formam uma tríade indissolúvel. O público dá sentido e realidade à obra, e sem ele o autor não se realiza, pois ele é de certo modo o espelho que reflete a sua imagem enquanto criador. Os artistas incompreendidos, ou desconhecidos em seu tempo, passam realmente a viver quando a posteridade define afinal o seu valor. Deste modo, o público é fator de ligação entre o autor e a sua própria obra.

A obra, por sua vez, vincula o autor ao público, pois o interesse deste é inicialmente por ela, só se estendendo à personalidade que a produziu depois de estabelecido aquele contato indispensável. Assim, à série autor-público-obra, junta-se outra: autor-obra-público. Mas o autor, do seu lado, é intermediário entre a obra, que criou, e o público, a que se dirige; é o agente que desencadeia o processo, definindo uma terceira série interativa: obra-autor-público.

Um estudioso contemporâneo, tratando da linguagem literária, exprime bem este fato, ao dizer que a invenção da escrita

> tornou possível a um ser humano criar num dado tempo e lugar uma série de sinais, a que pode reagir outro ser humano, noutro tempo e lugar. Resulta que o escritor vê apenas ele próprio e as palavras, mas não vê o leitor; que o leitor vê as palavras e ele próprio, mas não vê o escritor; e um terceiro pode ver apenas a escrita, como parte de um objeto físico, sem ter consciência do leitor nem do escritor. Isso pode fazer com que o escritor suponha, irrefletidamente, que as únicas partes do processo sejam a primeira e a segunda; e o leitor suponha que o processo consiste na segunda e terceira; e um crítico irrefletido, que a segunda parte é tudo. [...] Mas (a) verdade básica é que o ato completo da linguagem depende da interação das três partes, cada uma das quais, afinal, só é inteligível [...] no contexto normal do conjunto.[25]

Não é possível aprofundar agora a análise complementar da ação da obra sobre a sociedade, delimitando setores de gosto e correntes de opinião, formando grupos, veiculando padrões estéticos e morais, o que deixaria mais patente este sistema de relações. Mas[penso ter ficado claro que o estudo sociológico da arte, aflorado aqui sobretudo através da literatura, se não explica a essência do fenômeno artístico, ajuda a compreender a formação e o destino das obras; e, neste sentido, a própria criação.]

---

25 Thomas Clark Pollock, *The Nature of Literature, Its Relation to Science, Language and Human Experience*. Princeton: Princeton University Press, 1942, pp. 16-17.

Estímulos da criação literária

⌊O ponto de vista preponderante nos estudos filosóficos e sociais quase até os nossos dias foi, para usar uma expressão corriqueira, o do adulto, branco, civilizado, que reduz à sua própria realidade a realidade dos outros⌋ O mundo das crianças, por exemplo, ou o dos povos estranhos — sobretudo os chamados primitivos — era passado por este crivo deformante. Quando lembramos que Rousseau discerniu há mais de duzentos anos que o menino não é um adulto em miniatura, mas um ser com problemas peculiares, devendo o adulto esforçar-se por compreendê-lo em função de tais problemas, não dos seus próprios; e que, no entanto, depois de dois séculos a maioria dos brancos, civilizados, continua a tratar os seus filhos e alunos como se esta verdade não estivesse consagrada pelos teóricos e pela observação de todo dia, — quando pensamos nisso podemos, comparativamente, avaliar a força da chamada ilusão antropocêntrica.

⌊O mais curioso é que, se desejarmos evitá-la, podemos ir ao erro oposto e exagerar as diferenças que há entre os indivíduos, os grupos, as idades, as civilizações⌋ Querendo, por exemplo, fugir ao erro de considerar a criança um modelo reduzido, que deve ser ajustado o mais depressa possível às normas da gente grande, podemos acentuar as suas peculiaridades ao ponto de considerá-la uma espécie de ser diferente, que é preciso tratar como se vivesse à parte, num mundo também diferente, — sem norma nem barreira, guiado por uma lei obscura da própria evolução, que acabaria por domesticá-lo. E então passamos da escola autocrática para as experiências de Hamburgo, baseadas numa espécie de anarquismo lírico.

Em relação aos povos primitivos, a oscilação de atitude é igualmente acentuada. Nos quatro ou cinco séculos que decorreram da sua entrada mais ou menos direta para o convívio dos povos civilizados, eles têm sido considerados pendularmente como brutos e como seres privilegiados, através de concepções que assumem diversos matizes. Há cerca de meio século apareceu um modo renovado de encará-los como bichos, com todas as ressalvas da ciência e da filosofia⌊É a teoria famosa de Lévy-Bruhl, segundo a qual a mentalidade do primitivo seria, por assim dizer, qualitativamente diversa, na medida em que subordina a visão do mundo, não a princípios lógicos, como nós, mas a uma espécie de indiferenciação entre sujeito e objeto, entre as categorias e os corpos, de modo a definir um espírito "pré-lógico", incapaz de abstrair e de observar o princípio de contradição⌋

Esta concepção é sedutora.⌊Permite interpretar fenômenos aparentemente obscuros, conserva em torno do primitivo um halo de mistério, e não há dúvida que contribuiu para investigar os aspectos alógicos da mente humana⌋ Mas, pouco depois do seu êxito, Malinowski, ao invés de compulsar relatos de viagem ou repositórios de folclore, foi viver dois anos numa aldeia de melanésios, e os seus trabalhos fizeram ver que, relacionada ao cotidiano, a bela construção era falaciosa. Os povos primitivos distinguem, essencialmente como nós, o lógico e o mágico, embora na sua mente ambos formem configurações diversas, e o mágico sobressaia proporcionalmente mais do que o lógico no tecido da sua existência. Quando lança ao mar uma canoa, com toda sorte de esconjuros para que os espíritos da flutuação a façam sobrenadar contra os espíritos da submersão, o artesão de Sinaketa não supõe que ela navegue por obra e graça deles. Conhecendo empiricamente os princípios da flutuação e os processos adequados para os utilizar, jamais lhe passaria pela cabeça pegar um tronco e jogá-lo na água, confiado em que apenas a força dos espíritos o manteria emerso. Ele aplica rigorosamente a sua técnica, mas crê também na eficácia indispensável do ritual mágico. Forçando a nota, diríamos que, de modo parecido, o engenheiro moderno levanta cientificamente a sua ponte e pede a um santo que a mantenha de pé. E talvez (como já foi lembrado), o historiador do ano 3000 venha a dizer que os civilizados do século XX lançavam os seus navios com a bênção de um sacerdote e a quebra ritual duma garrafa de vinho, acreditando que boiavam graças a estas práticas. No homem de hoje, perduram lado a lado o mágico e o lógico, fazendo ver que, ao menos sob este aspecto, as mentalidades de todos os homens têm a mesma base essencial. [Num livro recente, diz Lévi-Strauss, com exemplos sugestivos, que em muitos casos o primitivo revela uma capacidade de racionalização e de observação sistemática maior que a do civilizado. O que a muitos pareceu incapacidade de generalizar pode ser requinte analítico, e certas formas em que realmente ele dissolve o particular numa aparente indiferenciação manifestam a capacidade generalizadora de cunho lógico, que lhe foi contestada.[1]]

Isto retifica as teorias da mentalidade pré-lógica, mas pode reconduzir de maneira algo simples ao velho postulado do espírito humano igual em toda parte. Ora, ambas as posições são modalidades da falácia antropocêntrica, — seja por verem no primitivo um bicho quase de outra espécie, seja por quererem

---

[1] Claude Lévi-Strauss, "La Science du concret", em *La Pensée sauvage*. Paris: Plon, 1962, pp. 4-15, passim.

59

reduzi-lo mecanicamente à nossa imagem, dispensando o esforço de penetrar nas suas singularidades. A verificação de que as culturas são relativas leva a meditar em tais singularidades, que seriam explicadas, não à luz de diferenças ontológicas, mas das maneiras peculiares com que cada contexto geral interfere no significado dos traços particulares, e reciprocamente, — determinando configurações diversas. Assim, [a atitude correta seria investigar a atuação variável dos estímulos condicionantes, pois se a mentalidade do homem é basicamente a mesma, e as diferenças ocorrem sobretudo nas suas manifestações, estas devem ser relacionadas às condições do meio social e cultural] Isso explicaria por que os comportamentos, as soluções, as criações variam tanto no primitivo e no civilizado, sem que se possa falar em mentalidade pré-lógica.

2

Quando se trata de estudar manifestações literárias, a concepção de Lévy-Bruhl seduz pelo que tem de favorável à exaltação das faculdades poéticas, dos elementos irredutíveis da fantasia, que nela parece estender-se sobre a vida do espírito como um estofo transfigurador. [Mas mesmo sem pressupor diferenças essenciais entre a nossa literatura e a dos povos primitivos, é evidente que os problemas suscitados por ambas são diversos. E talvez a meditação sobre tais diversidades ajude a compreender certos aspectos da criação literária, tanto dos primitivos quanto, em certa medida, dos grupos rústicos iletrados nas sociedades civilizadas.]

Diversamente do que ocorre com a nossa, a atividade artística do homem primitivo e do homem rústico (que nisso se aparentam) mantém com a vida social e seus fatores básicos ligamentos de tal ordem, que só podem ser bem compreendidos se estudados por meio da combinação de pelo menos três disciplinas, — ciência do folclore, sociologia e análise literária — que, isoladamente, não permitem interpretação justa. A predominância de uma das três depende do objetivo, — que pode ser a mera descrição; o estudo do condicionamento e função social; a análise estética. Mas a sua conjugação é necessária, pois nas literaturas orais a autonomia do autor é menos acentuada, enquanto é mais nítido o papel exercido pela obra na organização da sociedade.

A falta de integração dos pontos de vista dá muitas vezes um aspecto fragmentário aos trabalhos do folclorista, fazendo com que pareçam meras etapas preliminares da verdadeira compreensão. Por outro lado, quando aborda as formas orais, o estudioso de literatura não é geralmente capaz de perceber a sua atuação viva na comunidade, tratando os seus produtos com a ilusão de autonomia, como se fossem textos de alta civilização. Finalmente, o sociólogo costuma despi-los do sentido estético, essencial para compreender a sua natureza, manipulando-os como traços entre outros de um sistema cultural ou social. Isso, provavelmente, porque está habituado a prestar maior atenção aos fenômenos de estrutura e de infraestrutura (econômicos, políticos, familiares), aos quais reduz de maneira algo mecânica os de superestrutura (religiosos, artísticos, éticos). No entanto, para entender a função da literatura oral, é preciso não perder de vista a sua integridade estética. E é preciso começar distinguindo, nela como na literatura escrita, — função total, função social e função ideológica.

A função total deriva da elaboração de um sistema simbólico, que transmite certa visão do mundo por meio de instrumentos expressivos adequados. Ela exprime representações individuais e sociais que transcendem a situação imediata, inscrevendo-se no patrimônio do grupo. Quando, por exemplo, encaramos a *Odisseia*, o aspecto central que fere a sensibilidade e a inteligência é esta representação de humanidade que ela contém, este contingente de experiência e beleza, que por meio dela se fixou no patrimônio da civilização, desprendendo-se da função social que terá exercido no mundo helênico. A grandeza de uma literatura, ou de uma obra, depende da sua relativa intemporalidade e universalidade, e estas dependem por sua vez da função total que é capaz de exercer, desligando-se dos fatores que a prendem a um momento determinado e a um determinado lugar. Esta função é aparentemente menos acentuada na literatura oral, que parece limitar-se ao âmbito restrito dos grupos em que atua e que a produziram. Todavia, quando surgem possibilidades de comunicação entre os grupos, a sua universalidade pode afirmar-se, e até mais do que sucede com as obras da literatura erudita, — pois se de um lado ela radica em experiências peculiares ao grupo, de outro encarna certos temas da mais acentuada intemporalidade, como os de alguns mitos, análogos em vários povos. Daí o encanto e a emoção que as lendas e canções primitivas despertam em nós, mesmo precariamente traduzidas e arrancadas ao seu contexto.

A função social (ou "razão de ser sociológica", para falar como Malinowski) comporta o papel que a obra desempenha no estabelecimento de relações sociais, na satisfação de necessidades espirituais e materiais, na manutenção ou mudança de uma certa ordem na sociedade. Assim, os episódios da *Odisseia*, cantados nas festas gregas, reforçavam a consciência dos valores sociais, sublinhavam a unidade fundamental do mundo helênico e a sua oposição ao universo de outras culturas, marcavam as prerrogativas, a etiqueta, os deveres das classes, estabeleciam entre os ouvintes uma comunhão de sentimentos que fortalecia a sua solidariedade, preservavam e transmitiam crenças e fatos que compunham a tradição da cultura. Na literatura dos grupos iletrados, talvez esta função prepondere, pesando mais do que na literatura erudita dos nossos dias, feita para a leitura individual e voltada antes para a singularidade diferenciadora dos indivíduos, do que para o patrimônio comum dos grupos.

Considerada em si, a função social independe da vontade ou da consciência dos autores e consumidores de literatura. Decorre da própria natureza da obra, da sua inserção no universo de valores culturais e do seu caráter de expressão, coroada pela comunicação. Mas quase sempre, tanto os artistas quanto o público estabelecem certos desígnios conscientes, que passam a formar uma das camadas de significado da obra. O artista quer atingir determinado fim; o auditor ou leitor deseja que ele lhe mostre determinado aspecto da realidade. Todo este lado voluntário da criação e da recepção da obra concorre para uma função específica, menos importante que as outras duas e frequentemente englobada nelas, e que se poderia chamar de função ideológica, — tomado o termo no sentido amplo de um desígnio consciente, que pode ser formulado como ideia, mas que muitas vezes é uma ilusão do autor, desmentida pela estrutura objetiva do que escreveu. Ela se refere em geral a um sistema de ideias. O autor dirá, por exemplo, que tencionou mostrar como a vida é enganadora e como a virtude é uma questão de aparência, — coisas que poderíamos imaginar Machado de Assis falando das *Memórias póstumas de Brás Cubas*. Do seu lado, o público dirá se a obra lhe mostrou ou não esta concepção. Neste caso, a obra pode ser dita *interessada*, no sentido próprio, e não sectário, embora geralmente a função ideológica se torne mais clara nos casos de objetivo político, religioso ou filosófico. Esta função é importante para o destino da obra e para a sua apreciação crítica, mas de modo algum é o âmago do seu significado, como costuma parecer à observação desprevenida.

Só a consideração simultânea das três funções permite compreender de maneira equilibrada a obra literária, seja a dos povos civilizados, seja, sobretudo, a dos grupos iletrados. Se naquela os aspectos propriamente estéticos sobressaem de maneira a realçar a função total, nesta a função social avança para o primeiro plano, tornando-a ininteligível se não for levada na devida conta. E agora poderemos entender melhor por que a pesquisa folclórica assume frequentemente um caráter fragmentário, ao ignorar não só o aspecto funcional do objeto que estuda, mas a complexidade dos elementos que o integram.

3

Um trabalho ideal sobre a literatura dos grupos iletrados, primitivos mas também rústicos, deveria partir da observação concreta dos fatos, passar às análises estruturais e comparativas, para chegar à sua função na sociedade, sem sacrificar o aspecto estético nem o sociológico. Naturalmente, a própria escolha de um tema folclórico já traz o perigo de pressupor que as formas *inferiores* de arte e literatura explicam necessariamente as *superiores*, — o que não apenas é relativo, mas, quando ocorre, não constitui o aspecto verdadeiramente importante e que pode ser estudado com maior proveito. O que interessa de fato é a combinação da análise estrutural com a da função social, pois a literatura dos grupos iletrados liga-se diretamente à vida coletiva, sendo as suas manifestações mais comuns do que pessoais, no sentido de que, ao contrário do que pode ocorrer nas literaturas eruditas, nunca o artista ou poeta deixa de exprimir aspectos que interessam a todos. Por isso, o ângulo sociológico é nelas indispensável, além de possuir razão de ser mais evidente. À medida que a coletividade vai reconhecendo no criador uma personalidade bem definida, com o direito de se exprimir sem referência necessária às solicitações do meio, a sociologia vai ficando cada vez menos apta para interpretar a função total das obras. O artista enquanto individualidade criadora lhe escapa em grande parte, para se tornar objeto da psicologia literária e da crítica.

Por isso, para não ser acusada de onívora e totalitária, a sociologia não pode pretender o lugar da teoria literária. Embora possa constituir um elemento importante para a análise estrutural, o que propriamente lhe cabe são os aspectos sociais da criação, da apreciação, da circulação das obras. Ora, nas sociedades primitivas e nas rústicas, estas dependem por tal forma do entrosamento geral dos fatos sociais, que a sociologia tem nelas uma posição privilegiada como ponto de vista.

Pode-se com efeito duvidar da sua eficácia para compreender, individualmente, os temas poéticos de Baudelaire ou as inovações formais de Mário de Andrade; mas não para entender os contos populares, as modas de viola, as adivinhas ou o canto de morte dos tupinambás. Tais fatos, comparados com a arte individualizada dos nossos dias, chamam a atenção pelo aspecto coletivo; e a insuficiência do estudioso de literatura ao abordá-las provém, geralmente, da falta de preparo sociológico. Elas não podem ser entendidas mediante a aplicação pura e simples dos métodos a que ele está habituado, e que supõem na obra uma relativa autonomia, pois, mesmo quando transcritos, não são *textos,* decifráveis diretamente. Não podem ser desligadas do *contexto*, — isto é, da pessoa que as interpreta, do ato de interpretar e, sobretudo, da situação de vida e de convivência, em função das quais foram elaboradas e são executadas. Feitas para serem incorporadas imediatamente à experiência do grupo, à sua visão do mundo e da sociedade, pouco significam separadas da circunstância, pois, sendo palavra atuante, são menos e mais do que um registro a ser animado pelo deciframento de um leitor solitário.

Tomemos, por exemplo, certas manifestações elaboradas sob o estímulo de um fato tão individual quanto a morte, mas que, dado o seu caráter inelutável, é transformado por todos os povos em situação de ressonância coletiva. Veremos, então, que cantos fúnebres como o *roia kurireu*, dos bororo, não têm sentido pleno se forem apreciados como se apreciariam a "Nênia" de Firmino Silva, à morte de Francisco Bernardino Ribeiro, ou o "Adonai", escrito por Shelley para lamentar a de Keats. A compreensão e o efeito emocional destes dois poemas independem da participação da coletividade, do desempenho de um cantor e mesmo do conhecimento das circunstâncias que os motivaram. Embora não sejam elementos indiferentes para o seu entendimento, as mortes respectivas de Bernardino e de Keats acabam por transformar-se em mero acidente, comparadas ao sistema expressional autônomo constituído por cada poema. Já o *roia kurireu*, o "canto grande" bororo, lido, ou ouvido de um informante nativo, perde o verdadeiro significado, pois não apenas foi feito para celebrar experiências coletivas, mas funciona em vista de uma dada situação, é executado no momento conveniente, requer uma recriação a cada execução, pelos cantores e bailarinos. Noutro universo social e estético, evoquemos a "excelência", canto fúnebre de origem portuguesa, ainda praticado por algumas populações nordestinas. Produção de uma cultura rústica, que é afinal uma etapa da nossa, pode por isso nos atrair numa coletânea de folclore, — com a sua curiosa estrutura de tangolomango invertido como se a morte fosse chegando cada vez mais perto do alvo, à medida que o estribilho enumera progressivamente as "espadinhas de ouro", ao modo de etapas que vão sendo vencidas entre nós e ela.[2] Todavia, o efeito de mera

2 Ouvi pessoalmente a forma que menciono num velório dos arrabaldes de Granja, estado do Ceará, na noite de 26 de dezembro de 1957, em companhia de Lívio Xavier Júnior.

leitura é forçosamente parcial. A "excelência" existe como um conjunto, feito para funcionar num ambiente em que todos a conhecem, em que todos a aguardam, a cada morte, sempre a mesma, acompanhando a monotonia das longas "sentinelas", como uma espécie de ritual coletivo, entremeado às rezas. O seu significado e o seu impacto só se perfazem com a melodia, o cenário fúnebre, a inflexão patética do cantador, que repisa pela noite afora:

> É uma espadinha de ouro
> Da Virgem da Conceição
> ....
> São seis espadinhas de ouro
> Da Virgem da Conceição
> ....
> São doze espadinhas de ouro
> Da Virgem da Conceição

A constância inalterável do canto reduz cada morto à uniformidade da Morte; e a eficácia provém da experiência total da situação, de que os versos são um fragmento, sem sentido completo em si mesmo. Em relação às nossas formas literárias, há um cruzamento de significados, fazendo com que a composição poética, — motivada pela Morte, não pelo morto, — só funcione com relação a cada morto, e não à Morte. Inversamente, na poesia erudita, as nênias, motivadas em geral por um determinado morto, acabam por funcionar, não em relação a ele, mas ao fenômeno impessoal da Morte. É porque, na literatura oral, o mergulho na circunstância determina uma estrutura de palavras com menor autonomia. Esta só se desenvolve quando a obra, não dependendo essencialmente para ser criada e comunicada de nenhum ato coletivo, ganha independência em relação às condições de produção. Aí, o trabalho artístico sobre a palavra — isto é, a composição — adquire tal requinte, que mesmo quando a obra é escrita para ser executada (é o caso das peças de teatro), ela adquire a singularidade e a aparência de coisa incondicionada, peculiar aos textos literários propriamente ditos. Assim, uma tragédia grega, composta para ser encenada em dadas ocasiões e de certa maneira, pode ser lida hoje e guarda, nesta leitura, um impacto suficiente para fazer sentir a pujança da sua "função total". É que, na literatura erudita, a extrema plurivalência da palavra confere ao texto uma elasticidade que lhe permite ajustar-se aos mais diversos contextos.

Mas, se o estudioso de literatura erra ao tratar as suas formas orais como texto, ajustando-as ao nosso sistema simbólico, transpondo-as para o nosso mundo de valores, o erro do folclorista é simétrico. Incapaz, como aquele, de jogar com um certo número de conceitos interpretativos, tende ao registro puro e simples, ou a comparações arbitrárias, — dando-se em geral por satisfeito quando estabelece uma descrição coerente e uma explicação genética, por meio de processos que desligam a obra do seu ambiente, para lançá-la num mundo por vezes fantástico de aproximações com outras culturas.

Por isso, em princípio, o sociólogo e o etnólogo estão melhor aparelhados para reunir numa síntese a descrição folclórica e a análise estética, porque dispõem de recursos que permitem chegar à função social, que, na literatura dos grupos iletrados, é o elemento que unifica os demais e esclarece o seu sentido. Doutro lado, tanto o sociólogo quanto o etnólogo podem ficar no nível da organização social, ignorando o plano estético e o simbólico-descritivo, limitando o fato à sua mera dimensão sociológica. O ideal, como vimos, seria a união dos três pontos de vista, levando em conta o quadro sociocultural em que as manifestações literárias se situam, mas procurando captá-las na integridade do seu significado. Deste modo, a interpretação pode abranger tanto o aspecto coletivo de manifestação emocional e ideológica, quanto o tipo de formalização expressiva elaborado segundo os seus padrões. Esquematizando, diríamos que, no limite, as formas eruditas de literatura dispensam o ponto de vista sociológico, mas de modo algum a análise estética; enquanto as suas formas orais dispensariam a análise estética, mas de modo algum o ponto de vista sociológico.

4

Daí a parcialidade dum conceito de Herskovits, que simplifica o problema e chancela a imprecisão metodológica com que são frequentemente encaradas as produções literárias do primitivo e do rústico: "As formas literárias abordadas pelo antropólogo são conhecidas como folclore. A sua análise se desenvolve mais ou menos segundo a mesma orientação dada a qualquer estudo de literatura".[3]

Esta formulação algo drástica parece ignorar que, nas suas manifestações primitivas e rústicas, a literatura (e a arte em geral) é devida a um jogo de motivações funcionais muito mais evidentes do que costuma ser o caso nas literaturas eruditas, requerendo em consequência tratamento especial.

A este propósito, alarguemos o âmbito do que aqui estamos considerando literatura, para abranger não apenas o folclore propriamente dito, mas a mitologia, frequentemente considerada no tópico dos fenômenos de religião e magia. O seu estudo foi revolucionado por Malinowski, que procurou mostrar, baseado numa experiência de investigação intensiva, que os mitos, como as lendas, não podem ser compreendidos fora do seu contexto total. E, chegando a um extremo pragmatista,

3 Melville J. Herskovits, *Man and His Works*. Nova York: Knopf, 1949, p. 11.

oposto ao de Herskovits, sugere que interessa apenas o estudo do seu papel na vida coletiva, sendo desimportante o elemento estético. Falando das narrativas, diz que possuem, obviamente, um aspecto literário, "indevidamente ressaltado pela maioria dos estudiosos, mas que, todavia, *não deve ser completamente descuidado*".[4] Isto porque,[partindo de uma atitude quase polêmica contra a etnologia tradicional, que estuda o mito como texto, fora do contexto, Malinowski insistiu na integridade deste e no seu caráter decisivo para a compreensão do mito.] E por contexto entende não apenas a referência sociológica, a função na cultura e na organização social, mas o próprio ato de narrar, com os seus recursos de gesto e voz,[5] — chegando ao seguinte:

> Baseado no meu estudo dos mitos vivos, atuantes entre os selvagens, eu diria que o homem primitivo só em grau muito limitado possui interesse de tipo puramente estético, ou puramente científico, em relação à natureza; há pouco lugar para o simbolismo nas suas ideias e narrativas; e o mito não é de fato uma rapsódia ociosa, nem o extravasamento sem objetivo de imaginações vazias, mas uma força cultural extremamente importante e operante.[6]

Descartando um utilitarismo algo estreito, que já tem sido apontado, devemos todavia adotar as indicações de Malinowski quanto à importância do conjunto de uma situação social, para entender qualquer dos seus aspectos particulares, pois só assim poderemos apreender a integridade do fato literário na sua manifestação entre os grupos primitivos. Mas é bom lembrar

---

4 Bronislaw Malinowski, "Myth in Primitive Psychology", em *Magic, Science and Religion*. Glencoe: The Free Press, 1948, p. 119 (grifo meu). 5 Ibid., p. 82. 6 Ibid., p. 75.

que já superamos a fase em que era preciso ou conceber a arte primitiva como jogo gratuito, ou concebê-la como atividade pragmática no sistema das funções sociais. A arte, e portanto a literatura, é uma transposição do real para o ilusório por meio de uma estilização formal, que propõe um tipo arbitrário de ordem para as coisas, os seres, os sentimentos. Nela se combinam um elemento de vinculação à realidade natural ou social, e um elemento de manipulação técnica, indispensável à sua configuração, e implicando uma atitude de gratuidade. Gratuidade tanto do criador, no momento de conceber e executar, quanto do receptor, no momento de sentir e apreciar. Isto ocorre em qualquer tipo de arte, primitiva ou civilizada. Mas na arte primitiva o elemento que podemos chamar pragmático é frequentemente mais ostensivo, sem com isso abafar e nem mesmo atenuar o outro. Numa esteira feita para servir de cama, motivos aparentemente abstratos mostram uma liberdade de estilização dos elementos naturais inspiradores como se eles não importassem, ou fossem apenas ponto de partida para uma realização desvinculada de qualquer aplicação prática. Ademais (e ao contrário do que parece sugerir Malinowski a certa altura), os estímulos que despertam o desejo ou a necessidade de estilização formal são frequentemente diversos dos nossos, na arte e na literatura primitivas, além de aparecerem de maneira mais palpável na obra acabada, desde que os observemos no seu contexto. E justamente neste ponto intervém uma diferença entre a literatura do primitivo e a do civilizado, que compromete a afirmação de Herskovits: o estudioso da primeira deve estar preparado para considerar certas manifestações biológicas ou sociais, tão remotas na literatura escrita, que não podem nem devem, no estudo desta, ser tomadas como condições significativas. Uma vez que as manifestações do impulso estético variam segundo a cultura, o que para nós é acessório pode ser fundamental para os grupos iletrados.

Diz Lévi-Strauss que

a nossa cultura tradicional [...] se compraz na oposição entre o patético do amor infeliz e a comicidade do ventre satisfeito. Todavia, na imensa maioria das sociedades humanas os dois problemas são propostos no mesmo nível, porque tanto num domínio quanto noutro a natureza deixa o homem em presença do mesmo risco; o destino do homem saciado oferece o mesmo valor emotivo, e pode ser pretexto para a mesma expressão lírica, que a do homem amado. A experiência primitiva afirma, aliás, a continuidade entre as sensações orgânicas e as experiências espirituais.[7]

Este trecho permite passar a um tema concreto, para mostrar de que maneira, na poesia das comunidades iletradas, os fatos de infraestrutura podem ganhar um sentido estético direto, motivando imediatamente um certo tipo de emoção que se transfunde em obra de arte, — ao contrário do que ocorre nas sociedades civilizadas, onde os estímulos elementares devem passar por sucessivas mediações, antes de adquirir um teor artístico satisfatório para o homem culto.

A poesia do primitivo mostra, com efeito, que o critério do gosto, concebido à nossa maneira como discernimento de certas qualidades não utilitárias da obra, mas percebidas graças a uma exigência de gratuidade estética, não dá a chave para interpretar toda e qualquer literatura. Nas suas manifestações primitivas, esta lucra em ser previamente analisada como satisfação emocional de necessidades dos grupos, e como reforço, explicação ou substitutivo de ações reais, cujo

7 Claude Lévi-Strauss, *Les Structures élémentaires de la parenté*. Paris: Presses Universitaires de France, 1949, p. 45.

significado é deste modo esclarecido. Trata-se da passagem da *realidade* à *ilusão*, segundo Caudwell:

> O poema ajusta o coração a um novo intuito, sem mudar os desejos eternos do coração humano. Ele faz isto projetando o homem num mundo de fantasia, que é superior à sua realidade presente, ainda não compreendida, e cuja compreensão requer a própria poesia, que a antecipa de maneira fantasiosa. Aqui podem ocorrer vários erros, pois o poema sugere alguma coisa cujo próprio tratamento poético é justificado pelo fato de não podermos tocá-la, cheirá-la ou prová-la. Mas só por meio dessa ilusão pode ser trazida à existência uma realidade que de outra maneira não existiria.[8]

Portanto, a criação literária corresponde a certas necessidades de representação do mundo, às vezes como preâmbulo a uma práxis socialmente condicionada. Mas isto só se torna possível graças a uma redução ao gratuito, ao teoricamente incondicionado, que dá ingresso ao mundo da *ilusão* e se transforma dialeticamente em algo empenhado, na medida em que suscita uma visão do mundo. E para deixar claro este aspecto de derivação e retorno em face da realidade, poderíamos investigar o significado que a obra adquire como elaboração estética de um problema fundamental, e para nós bastante prosaico: o do ajustamento ao meio físico para sobrevivência do grupo, fenômeno básico em toda sociedade humana e sobretudo absorvente nas primitivas e menos evoluídas. Deste ângulo primário, a literatura aparecerá como algo que só a análise sociológica é capaz de interpretar convenientemente, pois ela mostra que

---

8 Christopher Caudwell, *Illusion and Reality: A Study of the Sources of Poetry*. Londres: Lawrence and Wishart, 1937, p. 30.

naquelas sociedades o sentimento estético pode ser determinado por fatores diferentes dos que o condicionam entre nós, ligando-se estreitamente aos meios de vida, à organização social, e representando uma nítida sublimação de normas, valores e tradições.]

5

Para isso, nada melhor do que focalizar como exemplo as necessidades fundamentais do homem, sobretudo as da nutrição, que, já vimos, não se associam geralmente para nós a ideias de beleza ou de vibração emocional. No primitivo, constataremos que a cenestesia e as representações ligadas ao alimento podem motivar um tipo de sensibilidade estética diferente da nossa. O estudo de Audrey Richards, sobre a alimentação de uma tribo banto e sua relação com a vida social, mostra que a comida e o processo digestivo assumem, para o primitivo, uma importância e um significado psicológico que não podemos supor a partir do nosso próprio comportamento; e que são capazes de suscitar manifestações artísticas incompreensíveis para o civilizado, acostumado a elaborá-las e senti-las sobre outras bases psicossociais. Segundo a pesquisadora inglesa,

> os fortes sentimentos ligados à função fisiológica da nutrição explicam a crença do primitivo de que comer é, de certo modo, um ato mágico. É sem dúvida um ato que transforma o seu estado e o faz por vezes sentir como se estivesse possuído por novos poderes.[9]

9 Audrey Richards, *Hunger and Work in a Savage Tribe: A Functional Study of Nutrition Among the Southern Bantu*. Londres: Routledge & Sons, 1932, p. 168. Sobre o assunto, ver todo o capítulo VIII, pp. 162-214.

E se quisermos conclusões parecidas em autor diametralmente oposto, pelos métodos e pela concepção da antropologia, basta percorrer na obra clássica de Frazer o material relativo às consequências mágicas do alimento e do processo alimentar, sobretudo as relações entre homem e animal com referência à propiciação, ingestão, qualidades atribuídas etc.[10]

É o problema da "sacralização do alimento", isto é, a formação de representações mentais e de práticas que tendem a conferir à comida, à sua busca e à sua ingestão, um caráter mágico, ritual ou poético. Nos povos primitivos, a construção da dieta depende de um abastecimento bastante precário, que a submete a um ritmo irregular, em que as quadras de fartura e desbragado consumo alternam com outras de privação extrema. Dá-se inclusive o fato de alguns alimentos aparecerem com exclusividade num determinado momento, para logo depois cederem lugar a outro. Há, portanto, uma série de problemas suscitados a todo instante com premência angustiosa, motivando tensão emocional, com formação de interditos, normas de etiqueta, exaltação da realidade. Depois de passar do estudo fisiológico às consequências sociais da alimentação, Richards chega a conclusões que permitem entrever a importância das técnicas de sobrevivência para interpretar a arte e a literatura do primitivo: "O alimento é fonte de algumas das suas emoções mais intensas, fornecendo a base para algumas das suas ideias mais abstratas e para as metáforas da sua vida religiosa".[11]

Estas palavras confluem com as de Lévi-Strauss, anteriormente citadas, e com certas considerações fundamentais de Boas,[12] fazendo compreender a possibilidade da formação de

---

10 Sir James George Frazer, *The Golden Bough*, 13 v. 3. ed. Nova York: Macmillan, 1951, v. I, III, V, VIII e X.   11 Audrey Richards, op. cit., p. 173.   12 Ver atrás a citação de Boas, na p. 47 deste livro.

símbolos poéticos, representações gráficas, danças propicia-
tórias, que tendem a obter não apenas eficiência na caçada, na
pesca, na coleta e na colheita, mas a regulamentar a distribuição e o consumo do seu produto; e a dar forma à angústia ou
à euforia resultante, numa manifestação de caráter estético. É
preciso lembrar que alguns dos exemplares mais remotos da
arte humana parecem ligados a práticas de magia imitativa,
como os desenhos de Altamira, mostrando que o pragmático
e o desinteressado, a necessidade de atuar e o desejo de fantasia, ocorrem estreitamente ligados na vida dos grupos. É o que
se pode observar, entre índios nossos, nos cantos e danças de
fundo zoomórfico, como os descreveu, por exemplo, Barbosa
Rodrigues, e de que encontramos resquícios entre as populações rústicas. Neles, a mimese das operações de caça e dos hábitos dos bichos mistura de modo indissolúvel o gratuito e o
prático, sem que possamos dizer o que é magia e o que é expressão artística.

A observação desse vasto complexo, ligado ao tema central da "sacralização do alimento", mostra que uma boa parte
da criação poética do homem primitivo se liga ao drama permanente da sobrevivência imediata do grupo pela exploração
do meio; e que apenas os critérios sociológicos poderão mostrar o seu significado. As formas primitivas da atividade estética aparecem, então, vinculadas imediatamente à experiência do grupo, e a função total da obra só pode ser entendida
sobre esta base, porque o elemento da gratuidade, indispensável à configuração da arte, depende da comunhão do indivíduo com a experiência do grupo.

A este respeito, são interessantes as sugestões que podemos extrair de uma pesquisa sobre os nuer, povo das regiões
do Alto Nilo, de estatura elevada e ânimo belicoso. Algum
tempo depois dos ingleses os submeterem, impondo costumes e alterando tradições (o que os tornou arredios e avessos

ao branco), foram visitados por Evans-Pritchard, que teve bastante dificuldade em abordá-los. Afinal, conseguiu obter elementos suficientes para vários artigos e dois livros, o principal dos quais estuda os seus meios de vida.[13]

Os nuer se dedicam à criação de bois como fonte quase exclusiva de subsistência. A importância do gado se torna por isso muito grande, influindo na distribuição espacial, nos meios de explorar a região, na organização social, nos critérios de prestígio, na própria representação do mundo. O homem vive em simbiose estreita com os bois, dos quais obtém alimento e garantia de sobreviver.

As consequências no domínio espiritual são muitas, inclusive a formação de um rico vocabulário e a aquisição de nomes bovinos, — o indivíduo acrescentando ao seu próprio um nome ligado a particularidades do animal que lhe pertence, ou partilhando com ele o mesmo nome. Embora o etnólogo se tenha ocupado apenas incidentalmente do assunto, é possível registrar na poesia a ocorrência de imagens e locuções carregadas de uma afetividade que se poderia chamar bovina, pois pela análise das pouquíssimas amostras percebemos que o poeta nuer, ao celebrar um amor, ao expandir sentimentos, dele e dos outros, associa à expressão, como ingrediente necessário, que lhe dá validade, alusões ao representante do seu meio básico de vida. É o que se observa nos versos abaixo, pertencentes ao começo de uma canção que o etnólogo ouviu as moças cantarem à tarde, na porta das cubatas, depois dos trabalhos do dia:

> O vento sopra do norte,
> Para onde sopra ele?
> Sopra do lado do rio.

13 E. E. Evans-Pritchard, *The Nuer: A Description of the Modes of Livelihood and Political Institutions of a Nilotic People*. Oxford: Clarendon, 1940.

A vaca do chifre curto
5   Leva ao pasto os ubres cheios;
Que Naiagaak vá ordenhá-la;
Minha barriga se encherá de leite.
Orgulho de Naiaual,
Turbulento Rolniang:
10   Os estrangeiros dominaram nossa terra;
Jogaram nossos enfeites no rio,
E, postos na margem, tiram a água.
Cabelo-Preto, minha irmã,
Estou atônito;
15   Estamos todos perplexos;
Olhamos estarrecidos para as estrelas de Deus.[14]

Em notas, Evans-Pritchard dá algumas explicações que esclarecem o trecho. O vento norte (*uirauira*) é "o vento que sopra no tempo dos pastos bons, quando as vacas produzem bastante leite; daí a ligação entre os três primeiros versos e os que seguem". Os versos 4 e 5 significam que "a vaca não deixou que o bezerro mamasse, nem que a ordenhassem, antes de ir pastar". "Naiagaak é a irmã do poeta. Orgulho é o nome de dança da moça Naiaual. Rolniang é o nome bovino de um rapaz." "Os estrangeiros são as tropas inglesas; a referência à água tirada da margem é obscura." "Cabelo-Preto é o nome de uma moça. Os nuer estão perplexos com a invasão estrangeira, e o último verso é uma prece para que Deus os ajude na adversidade." Até aqui, Pritchard.

14 Eis o texto, na "tradução livre" de Pritchard: "*The wind blows wirawira;/ Where does it blow to?/ It blows to the river./ The shorthorn carries its full udder to the pastures;/ Let her be milked by Nyagaak;/ My belly will be filled with milk./ Thou pride of Nyawal,/ Ever-quarreling Rolnyang./ This country is overrun by strangers;/ They throw our ornaments into the river;/ They draw their water from the bank./ Blackhair my sister,/ I am bewildered./ We are perplexed;/ We gaze at the stars of God*". Op. cit., pp. 46-47.

A análise do trecho mostra que o tema central é a manifestação de fortes emoções coletivas, expressas do verso 8 ao verso 16: o grupo está inseguro com a presença dos ingleses, perturbadores da ordem tradicional. Mas, para chegar até aí, o poeta nos faz passar por um introito, do verso 1 ao verso 7, construído segundo a mencionada afetividade bovina, que surge assim como alusão capaz de dispor a sensibilidade para assuntos decisivos. Trata-se do uso de um tema sugestivo a fim de preparar o ambiente para o tema central; ou seja, trata-se de um recurso que também ocorre na poesia erudita dos povos civilizados, — e isto nos permite comparar e mostrar a diferença entre ambas, no próprio seio da semelhança.

Devemos tomar para exemplo poemas cuja ambientação é devida igualmente ao quadro natural, como "Louvação da tarde", de Mário de Andrade, "Sub tegmine fagi", de Castro Alves, "Intimations of Immortality", de Wordsworth, ou "La Tristesse d'Olympio", de Victor Hugo. Vejamos este último.

O poeta (isto é, o personagem que fala na primeira pessoa) narra uma experiência pessoal, que adquire sentido genérico à medida que ele passa da emoção a uma concepção da vida. O assunto é a visita a uma casa de campo, onde outrora o narrador conheceu dias de plenitude amorosa. No momento em que fala, constata a mutação dos sentimentos e registra o fluir do tempo, que destrói os lugares, atenua as paixões, e contra o qual o esforço espiritual da recordação tenta criar uma permanência. O ambiente é descrito com minúcia enquanto vai sendo percorrido pelo personagem, que o visita movido pela saudade. Não é a natureza onde se trabalha, mas a natureza poetizada, extraída por assim dizer da sua contingência para tornar-se um lugar irreal, que possibilita a meditação. Para o poeta, as associações que ela motiva são elevadas a um nível de refinamento muito distante do cotidiano:

Les champs n'étaient point noirs, les cieux n'étaient pas mornes,
Non, le jour rayonnait dans un azur sans bornes,
Sur la terre étendu,
L'air était plein d'encens et les prés de verdures,
Quand il revit ces lieux où par tant de blessures
Son coeur s'est répandu.

Deixando de lado o poder dos recursos formais, que estabelecem ritmos e homofonias de grande sugestividade, apontemos somente a elevação do real à potência da ilusão poética. A natureza é aqui representação mental que passou pelo crivo de uma filosofia; figura um universo expressivo distanciado da realidade material e, sobretudo, de qualquer aspecto econômico, — que pareceria incompatível com a transcendência que se quer sugerir. Graças a isto, o Eu se revela através da natureza, e esta ganha sentido à medida que é experimentada e pensada pelo Eu.

No poema nuer, há também um apelo ao quadro natural como entrada na matéria, e não se pense que, sendo *primitivo*, o poeta é informal e sem plano. Ele compõe, como o civilizado, ao escolher a invocação inicial ao vento norte, o *uirauira*; ao marcar a divisão de cada segmento pelo vocativo a um amigo ou amiga, que sublinha a participação coletiva do sentimento, compartilhado por todo o grupo (versos 7-8, 13 e 15). Mas, atentando para a função do vento, vemos que este não é transposto ao nível simbólico, nem foi tomado como entidade poética em si. A capacidade de despertar emoção, que ele manifesta claramente, é inseparável de uma realidade econômica e fisiológica, pois anuncia o tempo do leite farto, que enche os estômagos e dá alegria.

Vejamos agora o mesmo fenômeno natural em Victor Hugo:

Il entendait frémir dans la forêt qu'il aime
Ce doux vent qui, faisant tout vibrer en nous-même,
Y réveille l'amour,
Et, remuant le chêne ou balançant la rose,
Semble l'âme de tout qui va sur chaque chose
Se poser tour à tour.

Nesta estrofe (e mais ainda numa obra em que ele é o símbolo principal, como a "Ode ao vento oeste", de Shelley), o vento é expressamente uma espécie de alma das coisas, de princípio imanente que dá vida ao universo, — bem ao sabor do idealismo romântico. É o contrário do que ocorre no poema nuer, onde é de um tipo particular, ligado a um determinado efeito e evocado em função deste. Nada tem de *anima rerum*, pois a emoção que desperta vem do fato de corresponder à quadra da fartura, — das vacas gordas no sentido próprio. E enquanto nos versos de "La Tristesse d'Olympio" ele favorece (como os demais elementos da natureza) um certo estado de transporte de toda a personalidade em face do tempo e do amor, no poema nuer desperta associações de euforia alimentar. Num e noutro caso, evidentemente, a utilização da natureza é regida por uma concepção das coisas elaborada pelo grupo. Na literatura erudita, esta concepção implica que a arte opera a partir de um certo nível de estilização da realidade, atuando de preferência sobre motivos já afastados das necessidades imediatas. Na literatura primitiva, dado o fato do grupo estar muito mais diretamente condicionado por elas, a sua presença é crua, e elas se tornam fatores de poesia. Tanto assim, que desejando exprimir a inquietação do seu grupo ante os estrangeiros, o poeta escolhe como ambientação estimulante emoções ligadas à sobrevivência, com invocação à realidade econômica. As alusões ao tempo do leite bom, das vacas altanadas e bem nutridas, à certeza do alimento, constituem um complexo tão eloquente, geram emoções tão acentuadas de segurança, que são adequadas ao estabelecimento do contraste necessário para ressaltar a incerteza coletiva, de que o poeta se faz porta-voz.

Mas o principal não é que este cante aspectos da atividade econômica; e o estudioso não deve limitar a sua tarefa a essa verificação meramente descritiva. O importante é ver que a referência a aspectos da vida econômica aparece como uma espécie de ingrediente poético geral, de veículo necessário à marcha de um poema cujo tema básico é outro. A interpretação do mundo se liga à presença do gado; e este é de tal modo importante para a sobrevivência do grupo, que passa a constituir um aspecto decisivo da sensibilidade individual. A este título, é usado no plano estético como ambientação de outras emoções, mais particulares e contingentes; é usado, pois, como recurso de estilo. A essa altura, não estamos mais considerando o traço social como assunto; estamos interpretando-o como componente da estrutura das obras. No poema citado, a evocação das vacas se torna um elemento de alta capacidade sugestiva graças à sua generalidade para os nuer; o recurso a elas desencadeia a sua emotividade e predispõe o espírito para compreender a inquietação causada pela presença do estrangeiro. Nós podemos ver, nessa hipóstase da pecuária leiteira, que para os nuer o sentimento poético (ou seja, a sensibilidade especial que predispõe para elaborar um verso, ou para aceitá-lo de modo compreensivo) nasce de uma emoção coletiva e não se separa do sentimento mais geral de identificação afetiva ao gado, — isto é, ao recurso básico da vida econômica. Neste caso, a poesia é sobretudo uma forma de organizar no plano da *ilusão*, por meio de recursos formais, uma *realidade* transfundida pela solidariedade entre homem e boi, a fim de que a realidade do mundo possa tornar-se inteligível ao espírito. A beleza ou a expressividade dependem do tipo de plenitude que a poesia proporciona, estilizando e de certo modo recapitulando a experiência coletiva. E o ato criador aparece como uma espécie de operação, de ação adequada sobre a realidade, possibilitada pela *ilusão.*

Podemos então concluir que as formas primitivas de literatura repousam mais direta e perceptivelmente sobre os estímulos imediatos da vida social, sobretudo os fatos de infraestrutura, que nas literaturas eruditas só aparecem como elemento condicionante depois de filtrados até a desfiguração por uma longa série de outros fatos.

6

Bem poderíamos agora, para sublinhar diferenças entre a literatura do primitivo e a do civilizado, evocar a ocorrência do alimento nesta última, indicando as modificações que lhe imprimiram as influências mediadoras.

Num plano acessório, que não interessa aqui, ele pode aparecer como elemento descritivo, que compõe o cenário e, ao mesmo título que os outros traços escolhidos pelo autor, funciona como recurso de composição.

Num esquecido romance brasileiro do Naturalismo, *O padre Eusébio*, de Antônio Celestino, almoça-se e janta-se frequentemente, inclusive porque nestas horas o pároco lascivo se encontra com as senhoras da casa em que está hospedado; mas o autor se limita, quando muito, a mencionar as "finas iguarias". Já em *A conquista*, Coelho Neto descreve e mesmo celebra os pratos de uma refeição excepcional de estudante pobre, — mas eles não passam de episódio pitoresco, que contrastam com a sua penúria. No jantar descrito por Graciliano Ramos em *Caetés*, os pratos servem para dar verossimilhança, povoar o ambiente, mas também para encaminhar as réplicas. No d'*A ilustre casa de Ramires*, bem mais significativamente, há uma travessa de ovos queimados que revela a afeição ainda viva da dona da casa pelo convidado, André Cavalheiro.

Outras vezes (principalmente na poesia), a sua presença, ainda acessória, vai adquirindo independência; veja-se a descrição dos manjares exóticos no "Canto XXIX" do *Colombo*, de Araújo Porto-Alegre. Em nível mais complexo, ele é tomado como elemento central da elaboração estética, sobretudo sob o aspecto sensorial; é o caso de um poema de Guilherme de Almeida, onde as frutas ocorrem com toda a sua força de aroma, colorido e sabor, sem referência, todavia, à qualidade nutritiva:

NATUREZA-MORTA

Na sala fechada ao sol seco do meio-dia
sobre a ingenuidade da faiança portuguesa
os frutos cheiram violentamente e a toalha é fria e alva
[sobre a mesa.
Há um gosto áspero de ananases e um brilho fosco de
[uvaias flácidas
e um aroma adstringente de cajus, de pálidas
carambolas de âmbar desbotado e um estalo oco
de jabuticabas de polpa esticada e um fogo
bravo de tangerinas.
                                        E sobre este jogo
de cores, gostos e perfumes a sala toma
a transparência abafada de uma redoma.

Neste exemplo, a qualidade alimentícia não passa de algo virtual e remoto, pois na verdade as frutas são objetos de contemplação, valorizados pela cor, a consistência e as associações que o poeta estabelece, tratando-as da maneira por que são tratadas em geral, nas literaturas eruditas, outras realidades, como a paisagem.

Já em *À la Recherche du temps perdu*, a galantina ou o *boeuf à la mode de Françoise* servem de pretexto para aludir às operações sapientes da culinária, e estas acabam simbolizando o trabalho do artista. Noutra parte, certas iluminações da memória, fundamentais na estrutura do livro, são desencadeadas por um pedaço de bolo molhado no chá de tília, sem que todavia o aspecto alimentar seja causa específica, pois o mesmo efeito é obtido a partir de outros estímulos inesperados, e tão diversos entre si quanto um desequilíbrio no pisar duas lajes desiguais, o contato de um guardanapo engomado ou o som de uma colher batendo no pires.

Num plano mais depurado, o alimento parece acrescentar um aspecto simbólico ao aspecto estético. Seria o caso de pelo menos um dos *Sonetos a Orfeu*, onde Rilke esboça aparentemente uma natureza-morta, com a maçã redonda, a pera, a banana e a groselha, focaliza depois o sabor que difundem na boca, para torná-las finalmente portadoras de um sentido obscuro e germinal, em que certos mistérios da natureza e da vida perpassam sem que os possamos apreender claramente. A fruta é descrita como prazer gustativo, mas, ao invés de qualquer alusão final à qualidade nutritiva em si, o que temos é a emergência do símbolo:

Voller Apfel, Birne und Banane,
Stachelbeere... Alles dieses spricht
Tod und Leben in den Mund... Ich ahne...
Lest es einem Kind vom Angesicht,

wenn es sie erschmeckt. Dies kommt von weit.
Wird euch langsam namenlos im Munde?
Wo sonst Wort waren, fliessen Funde,
aus dem Fruchtfleisch überrascht befreit.

Wagt zu sagen, was ihr Apfel nennt.
Diese Süsse, die sich erst verdichtet,
um, im Schmecken leise aufgerichtet,

klar zu werden, wach und transparent,
doppeldeutig, sonnig, erdig, biesig —:
O Erfahrung, Fühlung, Freude —, riesig![15]

Este processo de alusão ao gustativo, para logo sublimá-lo, é nítido quando se trata de alimentos portadores de um simbolismo imanente que oblitera o caráter material. Seria o caso do leite, que para os nuer é sinal de atividade econômica e de sobrevivência do grupo, mas que para nós é geralmente metonímia da maternidade, como num soneto da *Invenção de Orfeu*, em que Jorge de Lima assimila oniricamente a sua ama a uma vaca benfazeja, dando um toque quase sobrenatural ao leite que o nutriu.

Mesmo em contextos intencionalmente vulgares (cuja importância veremos daqui a pouco) o alimento pode assumir uma certa função redentora, — como na sequência inicial do *Ulysses*, de James Joyce, em que aparecem lenços enxovalhados, roupas esfiapadas, água ensaboada de barba e toda a constelação do desalinho. Entre o cinismo de Mulligan, a passividade sem fibra de Dedalus, a brutalidade de Haines, surge a velha camponesa, risonha, tolerante, e o capitoso leite que vende é puro, matinal como um símbolo de nutrições simbólicas, de energias mais lídimas.

---

15 "Túrgida maçã, pera e banana,/ Groselha... Tudo isso fala/ De morte e vida em tua boca... Eu pressinto.../ Decifra-o no rosto de uma criança,// quando ela as prova. É algo que vem de longe./ Na tua boca esse algo se anula lentamente?/ Onde antes havia palavras, fluem descobrimentos,/ surpresos por se libertarem da carne da fruta.// Ousa pronunciar o que chamas maçã./ Essa doçura, condensada a princípio,/ para, emergindo brandamente do gosto,// tornar-se clara, alerta e transparente,/ dúbia, ensolarada, terrena, deste lugar —:/ Ó experiência, sensação, alegria —, gigantesco!"

No limite, o processo pode alcançar as formas transcendentes da sacralização, afastadas não só de qualquer referência nutritiva, mesmo remota, mas da própria busca dos efeitos exteriores de beleza. É o caso das substâncias de comunhão, como o pão e o vinho que a mãe de Luigi Murica reparte no velório do filho, no romance de Silone; ou a própria hóstia de um poema de Anchieta:

Oh que divino manjar.

Em todos estes casos, como é notório, não há vestígio da dimensão fisiológica. Inversamente, o aspecto estético ou simbólico, neles presente, não ocorre na poesia do primitivo, ou pelo menos não ocorre separado do aspecto fisiológico, pois para o primitivo a emoção orgânica da nutrição pode manifestar-se livre e diretamente no plano da arte, sem necessidade das numerosas mediações que o civilizado estabelece entre ambas. Observa-se, ainda, que há uma diferença de função nos dois casos. Para o primitivo, o alimento pode desempenhar um papel genérico de "inspirador", de motor de outras emoções, — papel que, para o civilizado, é atribuído a outras realidades, como o amor, a natureza, Deus. E mais ainda: enquanto para o primitivo a emoção é condicionada por uma referência aos alimentos básicos (o leite, no caso dos nuer), nós pudemos ver que para o civilizado estes só se vinculam ao universo da emoção estética se passarem por um processo de perda da sua realidade nutritiva. E em geral o escritor prefere, em tais casos, alimentos simbólicos (leite, pão, vinho), ou que, não sendo básicos, e tendo um aspecto ornamental, como as frutas, podem ter a qualidade nutritiva relegada facilmente para segundo plano.

[Quando, porém, não se trata de criar emoção lírica, nem de penetrar no universo do símbolo, o alimento aparece com toda a sua força de comida]. É o que acontece principalmente na ficção realista (de que foram apontados há pouco alguns exemplos), em que ele é um componente do mundo e uma das manifestações da condição econômica. Nesta chave se enquadram as alusões e descrições abundantíssimas da fome, que encontra na obra clássica de Knut Hansum um dos tratamentos mais conhecidos na literatura moderna.

É curioso observar que no tempo em que a hierarquia dos gêneros literários impunha normas severas, fome e comida só apareciam, com a sua realidade própria, nos gêneros secundários, que focalizavam as classes baixas, frequentemente com intenção grotesca, e de qualquer modo sem as conotações mais prezadas do lírico e do trágico. Lembremos a sequência do escudeiro pobre no *Lazarillo de Tormes*, ou a do internato na *Vida del Buscón*, de Quevedo.

Nestes casos, o alimento pode tornar-se um verdadeiro Caliban das substâncias e readquirir às avessas o cunho metafórico e simbólico, servindo como elemento realista e mesmo grotesco, de contraste entre o ideal e a vulgaridade. O pão com cebola que Sancho Pança vai comendo, enquanto o seu amo tresvaria, é comida, sem dúvida, mas é também signo, — como são, no *Uraguai*, o presunto e os paios do Irmão Patusca, mediante os quais Basílio da Gama desejou caricaturar a grosseria e a avidez que atribuiu aos jesuítas.

Mas onde encontrar, na literatura dos povos civilizados, a comida celebrada fisiologicamente como fonte de lirismo e introdução estética à expressão das emoções mais intensas, — como vimos no comovente poema nuer? Os grupos que produzem literatura, entre nós, vivem num meio que resolveu teoricamente o problema do abastecimento regular, e adotam modelos sugeridos pela ideologia de classes que não participam diretamente no processo de obtenção dos meios de vida. Por isso, apenas nas obras de cunho realista ou grotesco o alimento aparece na sua realidade básica de comida. Nas obras de expressão lírica e timbre emocional elevado, só se manifesta despido da sua natureza específica e reformulado em função dos valores estéticos da civilização.

* * *

Certas manifestações da emoção e da elaboração estética podem ser melhor compreendidas, portanto, se forem referidas ao contexto social. No caso dos grupos primitivos é maior a importância deste, dado o caráter imediato com que as condições de vida se refletem na obra. Sobre a unidade fundamental do espírito humano, as diferenças de organização social e de nível cultural determinam formas diferentes de arte e literatura no primitivo e no civilizado.

Isto posto, convém ressaltar o indispensável aspecto "desinteressado" da arte primitiva, a fim de que a análise do seu intenso compromisso com os valores e estados de ânimo coletivos não leve a considerá-la uma atividade utilitária, que se explicaria totalmente pelo conhecimento da sua função social. Os evolucionistas chegaram a uma interpretação de fundo biológico, pragmático e determinista, que suprimia praticamente o elemento criador e os impulsos específicos da criação. O ponto de vista sociológico bem conduzido mostra, ao contrário, que a poesia e a arte primitivas não são atividades práticas, no sentido estreito, nem vicariantes, — como pressupunha a teoria de Spencer, segundo a qual serviriam de escoadouro ao excesso de energia não aplicada diretamente nas atividades econômicas, guerreiras etc. Isto levaria a concluir (no plano hipotético) que seria possível haver sociedade humana sem arte, desde que as energias fossem completamente absorvidas pelas tarefas _úteis_, — concepção que, latente na teoria de Spencer, sempre formou a base do filistinismo e da obtusidade de todos os tempos, e que ainda hoje fundamenta, consciente ou inconscientemente, as atitudes negativas em face da arte. No mesmo sentido vai o pragmatismo ingênuo e bastante difundido, segundo o qual a literatura exprime uma fase pré-científica, tendendo a desaparecer à medida que vamos encontrando interpretação racional e experimental para os fatos.

Ora, tanto quanto sabemos, as manifestações artísticas são inerentes à própria vida social, não havendo sociedade que não as manifeste como elemento necessário à sua sobrevivência, pois, como vimos, elas são uma das formas de atuação sobre o mundo e de equilíbrio coletivo e individual. São, portanto, socialmente necessárias, traduzindo impulsos e necessidades de expressão, de comunicação e de integração que não é possível reduzir a impulsos marginais de natureza biológica. Encaradas sob o aspecto funcional, ou multifuncional, como foi sugerido acima, adquirem um sentido expressivo atuante, necessário à existência do grupo, ao mesmo título que os fenômenos econômicos, políticos, familiais ou mágico-religiosos, integrando-se no complexo de relações e instituições a que chamamos abstratamente sociedade. O seu caráter mais peculiar, do ponto de vista sociológico, com importantes consequências no terreno estético, consiste na possibilidade que apresentam, mais que outros setores da cultura, de realização individual. Isto permite, ao mesmo tempo, uma ampla margem criadora e a possibilidade de incorporá-la ao patrimônio comum, fazendo do artista um intérprete de todos, através justamente do que tem de mais seu. Nas sociedades primitivas, e nas rústicas, é mais claro este nexo, muitas vezes difícil de apreender nas sociedades urbanas. Na verdade, há problemas difíceis nos dois campos, pois se nas primeiras o elemento coletivo parece fazer da arte uma função social pura, que dispensa a própria interferência do criador autônomo, nas segundas, inversamente, este parece causa e condição, esbatendo para segundo plano aquele elemento. Em ambos os casos, verifica-se que a produção da arte e da literatura se processa por meio de representações estilizadas, de uma certa visão das coisas, coletiva na origem, que traz em si um elemento de gratuidade como parte essencial da sua natureza.

Segunda parte

O escritor e o público

Frequentemente tendemos a considerar a obra literária como algo incondicionado, que existe em si e por si, agindo sobre nós graças a uma força própria que dispensa explicações. Esta ideia elementar repousa na hipótese de uma virtude criadora do escritor, misteriosamente pessoal; e mesmo quando desfeita pela análise, permanece um pouco em todos nós, leitores, na medida em que significa repugnância do afeto às tentativas de definir os seus fatores, isto é, traçar de algum modo os seus limites.

Por isso, quando investigamos tais fatores e tentamos distingui-los, percebemos, na medida em que é possível, que os mais plenamente significativos são os *internos*, que costeiam as zonas indefiníveis da criação, além das quais, intacto e inabordável, persiste o mistério. Há todavia os *externos*, como aqueles de que se ocupará este artigo; secundários, não há dúvida, como explicação; dependendo de um ponto de vista mais sociológico do que estético; mas necessários, se não à sondagem profunda das obras e dos criadores, pelo menos à compreensão das correntes, períodos, constantes estéticas. Um autor alemão chega a dizer, neste sentido, que mesmo considerando-se a priori metafísico o valor artístico, só de modo sociológico é possível elucidá-lo nas suas formas concretas particulares — pois nas sociedades civilizadas a criação é eminentemente *relação* entre grupos criadores e grupos receptores de vários tipos.[1]

Isto quer dizer que o escritor, numa determinada sociedade, é não apenas o *indivíduo* capaz de exprimir a sua originalidade (que o delimita e especifica entre todos), mas alguém desempenhando um *papel social*, ocupando uma posição relativa ao seu grupo profissional e correspondendo a certas expectativas dos leitores ou auditores. A matéria e a forma da sua obra dependerão em parte da tensão entre as veleidades profundas e a consonância ao meio, caracterizando um diálogo mais ou menos vivo entre criador e público.

Mas o panorama é dinâmico, complicando-se pela ação que a obra realizada exerce tanto sobre o público, no momento da criação e na posteridade, quanto sobre o autor, a cuja realidade se incorpora em acréscimo, e cuja fisionomia espiritual se define através dela. Em contraposição à atitude tradicional e unilateral, que considerava de preferência a ação do meio sobre o artista, vem-se esboçando na estética e na sociologia da arte uma atenção mais viva para este dinamismo da obra, que esculpe na sociedade as suas esferas de influência, cria o seu público, modificando o comportamento dos grupos e definindo relações entre os homens.[2]

A literatura é pois um sistema vivo de obras, agindo umas sobre as outras e sobre os leitores; e só vive na medida em que estes a vivem, decifrando-a, aceitando-a, deformando-a. A obra não é produto fixo, unívoco ante qualquer público; nem este é passivo, homogêneo, registrando uniformemente o seu efeito. São dois termos que atuam um sobre o outro, e aos quais se junta o autor, termo inicial desse processo de

---

1 Müller-Freienfels, "Schriftliche Beiträge zum Thema Soziologie der Kunst" etc., em *Verhandlungen des siebenten deutschen Soziologentages*. Tübingen: [s.n.], 1931, pp. 279-280.   2 Ver na nota 2 da p. 33, neste livro, as obras de Souriau e Dufrenne, citadas sobre o assunto.

circulação literária, para configurar a realidade da literatura atuando no tempo.

Qual a influência entre eles; como se condicionam mutuamente; que relações humanas pressupõem ou motivam? São questões que o crítico propõe ao sociólogo, ou responde ele próprio colocando-se no ângulo deste. Procuremos falar como ambos, partindo da hipótese de que, sob tal ponto de vista, a produção da obra literária deve ser inicialmente encarada com referência à posição social do escritor e à formação do público.

Aquela depende, em primeiro lugar, da consciência grupal, isto é, a noção desenvolvida pelos escritores de constituírem segmento especial da sociedade. Ela se manifesta de maneira diversa conforme o momento histórico (exprimindo-se, por exemplo, como vocação, consciência artesanal, senso de missão, inspiração, dever social etc.), permitindo-lhes definir um papel específico, diferente dos demais, e servindo-lhes de identificação enquanto membros de um agrupamento delimitado.

O fato deste grupo configurar-se nitidamente ou permanecer virtual depende em boa parte do segundo fator: as condições de existência que os seus membros, enquanto tais, encontram na sociedade. Decorre ou não daí a profissionalização, que, embrionária noutras épocas, é tendência no mundo moderno, mas não fator essencial para estruturar um grupo de escritores. Com efeito, há diversas formas de remunerar o trabalho de criação literária nas diferentes sociedades e épocas: mecenato, incorporação ao corpo de servidores, atribuição de cargos, geralmente prebendas etc.

Finalmente, a posição do escritor depende do conceito social que os grupos elaboram em relação a ele, e não corresponde necessariamente ao seu próprio. Este fator exprime o reconhecimento coletivo da sua atividade, que deste modo se justifica socialmente. Deve-se notar, a propósito, que, embora certos escritores tenham individualmente alcançado o pináculo da consideração em todas as épocas da civilização ocidental, o certo é que, como grupo e função, apenas nos tempos modernos ela lhe foi dispensada pela sociedade.

Tais fatores aparecem na realidade unidos e combinados, dependendo uns dos outros e determinando-se uns aos outros conforme a situação analisada. Deste modo é que se deve considerá-los, relacionando-os, além disso, ao segundo grupo de fatores, que integram o conceito de público.

Se a obra é mediadora entre o autor e o público, este é mediador entre o autor e a obra, na medida em que o autor só adquire plena consciência da obra quando ela lhe é *mostrada* através da reação de terceiros. Isto quer dizer que o público é condição para o autor conhecer a si próprio, pois esta revelação da obra é a sua revelação. Sem o público, não haveria ponto de referência para o autor, cujo esforço se perderia caso não lhe correspondesse uma resposta, que é definição dele próprio. Quando se diz que escrever é imprescindível ao verdadeiro escritor, quer isto dizer que ele é psiquicamente organizado de tal modo que a reação do outro, necessária para a autoconsciência, é por ele motivada através da criação. Escrever é propiciar a manifestação alheia, em que a nossa imagem se revela a nós mesmos.[3]

Por isso, todo escritor depende do público. E quando afirma desprezá-lo, bastando-lhe o colóquio com os sonhos e a satisfação dada pelo próprio ato criador, está, na verdade, rejeitando determinado tipo de leitor insatisfatório, reservando-se para o leitor ideal em que a obra encontrará verdadeira ressonância. Tanto assim que a ausência ou presença da reação do público, a sua intensidade e qualidade podem decidir a orientação de uma obra e o destino de um artista. Mesmo

---

3 A discussão mais importante sobre o papel do *outro* na autoconsciência se encontra em J.-P. Sartre, *L'Être et le néant*. Paris: Gallimard, 1943, pp. 275-503.

porque nem sempre há contato tangível do escritor com os leitores, e estes nem sempre se ordenam em grupos definidos, podendo permanecer no estado amorfo, isolados uns dos outros, por vezes em estado potencial. Para Von Wiese (a quem devemos a melhor caracterização sociológica deste fenômeno tão mal estudado desde os primórdios da sociologia contemporânea), o público nunca é um grupo social, sendo sempre uma coleção inorgânica de indivíduos, cujo denominador comum é o interesse por um fato. É a "massa abstrata", ou "virtual", da sua terminologia.[4] Entretanto, dentro dela podem diferenciar-se agrupamentos menores, mais coesos, às vezes com tendência a organizar-se, como são os círculos de leitores e amadores entre os quais se recrutam quase sempre as elites, que pesarão mais diretamente na orientação do autor.

De qualquer modo, um público se configura pela existência e natureza dos meios de comunicação, pela formação de uma opinião literária e a diferenciação de setores mais restritos que tendem à liderança do gosto — as *elites*. O primeiro fator envolve o grau de ilustração, os hábitos intelectuais, os instrumentos de divulgação (livro, jornal, auditórios etc.); o segundo e o terceiro se definem automaticamente, e aliás acabam de ser sugeridos.

Para correlacionar (agora em termos práticos) o problema do escritor e do público no quadro da presente análise, lembremos que o reconhecimento da posição do escritor (a aceitação das suas ideias ou da sua técnica, a remuneração do seu trabalho) depende da aceitação da sua obra, por parte do

4 Leopold von Wiese, *System der Allgemeinen Soziologie*. 2. ed. Munique; Leipzig: Duncker & Humblot, 1933, pp. 405-446, especialmente 419-22 e 438-40. É preciso, todavia, completar a sua análise com o trabalho recente de Karl Nühlen, "Das Publikum und seine Aktionsarten", *Kölner Zeitschrift für Soziologie*, n. 5, v. 4, 1952-1953, pp. 46-74.

público. Escritor e obra constituem, pois, um par solidário, funcionalmente vinculado ao público; e no caso deste conhecer determinado livro apenas depois da morte do autor, a relação se faz em termos de posteridade. De modo geral, todavia, a existência de uma obra levará sempre, mais cedo ou mais tarde, a uma reação, mínima que seja; e o autor a sentirá no seu trabalho, inclusive quando ela lhe pesa pela ausência.

2

Quando consideramos a literatura no Brasil, vemos que a sua orientação dependeu em parte dos públicos disponíveis nas várias fases, a começar pelos catecúmenos, estímulo dos autos de Anchieta, a eles ajustados e sobre eles atuando como lição de vida e concepção do mundo. Vemos em seguida que durante cerca de dois séculos, pouco mais ou menos, os públicos normais da literatura foram aqui os auditórios — de igreja, academia, comemoração. O escritor não existia enquanto *papel social definido*; vicejava como atividade marginal de outras, mais requeridas pela sociedade pouco diferenciada: sacerdote, jurista, administrador. Querendo fugir daí e afirmar-se, só encontrava os círculos populares de cantigas e anedotas, a que se dirigiu o grande irregular sem ressonância nem influência, que foi Gregório de Matos na sua fase brasileira.

A cerimônia religiosa, a comemoração pública foram ocasião para se formarem os públicos mais duradouros em nossa literatura colonial, dominada pelo sermão e pelo recitativo. As fugazes Academias constituem caso sugestivo, representando, do ponto de vista em que nos colocamos, esforço de criação artificial de um público por parte dos próprios escritores (escritores parciais, como vimos), que eram ao mesmo tempo grupo criador, transmissor e receptor; grupo multifuncional de ressonância limitada e dúbia caracterização, onde a

98

literatura acabava por abafar a si mesma, esterilizando-se por falta de um ponto de apoio.

É preciso chegarmos ao fim do século XVIII e à fase que precede a Independência para podermos avaliar como se esboçam os elementos característicos do público e da posição social do escritor, definindo-se os valores de comunicação entre ambos. Como não se pretende aqui uma descrição completa, apenas estes elementos serão destacados, tentando-se avaliar qual foi a sua influência e persistência na evolução posterior.

Destaquemos desse contexto a função de [Silva Alvarenga, provavelmente o primeiro escritor brasileiro que procurou harmonizar a criação com a militância intelectual, graças ao senso quase didático do seu papel.] Em torno dele formou-se um grupo, o da Sociedade Literária, que se prolongou pelos dos alunos por ele formados como Mestre de Retórica e Poética, entre os quais alguns próceres da Independência. Assim, não apenas difundiu certa concepção da tarefa do homem de letras como agente positivo na vida civil, mas animou um movimento que teve continuidade, suscitando pequenos públicos fechados que se ampliariam, pela ação cívica e intelectual, até as reivindicações da autonomia política e, inseparável dela, da autonomia literária.

Digamos pois que, a exemplo do melodioso Alcino Palmireno, o escritor começou a adquirir consciência de si mesmo, no Brasil, como cidadão, homem da *polis*, a quem incumbe difundir as *luzes* e trabalhar pela pátria. Assim tocamos no principal elemento com que se integram aqui, a princípio, a sua consciência grupal e o seu conceito social: o nativismo, logo tornado em nacionalismo, manifestado nos escritos e em toda a sorte de associações político-culturais que reuniram sábios, poetas, oradores e, ao contrário das velhas Academias, os encaminharam para a ação sobre a sociedade, abrindo-se para o exterior por meio da paixão libertária, mesmo quando fechadas sobre si mesmas pelo esoterismo maçônico.⸢Esta literatura militante chegou ao grande público como sermão, artigo, panfleto, ode cívica; e o grande público aprendeu a esperar dos intelectuais palavras de ordem ou incentivo, com referência aos problemas da jovem nação que surgia.⸥

Esta união da literatura à política permitiu o primeiro contato vivo do escritor com os leitores e auditores potenciais; e nada exprime melhor a ardente fé nas *luzes* do que os cursos organizados na prisão pelos revolucionários de 1817, em proveito dos que esperavam a condenação, talvez a morte, e onde Muniz Tavares ensinava lógica; frei Caneca, português; Basílio Torreão, geografia e história; Antônio Carlos, inglês... Futuros revoltosos de 1824, como Tristão de Alencar Araripe, aí se aperfeiçoaram e ganharam novas razões para lutar.[5]

Ao nativismo e às associações é preciso acrescentar a presença dos religiosos, frades e padres, preeminentes nos dois casos, que vieram trazer o prestígio de uma instituição básica da Monarquia, a Igreja, pondo-a ao serviço das novas ideias e conferindo respeitabilidade à atividade intelectual *ilustrada*. Um sacerdote, Sousa Caldas, escreveu no último decênio do século XVIII um dos mais vigorosos libelos nativistas e *ilustrados*, o poema d'"As aves"; e as cinco restantes dentre as suas perdidas "Cartas" defendem a liberdade de pensamento em face do poder civil e religioso, com um *modernismo* e um vigor que permitem considerar o extravio das outras como das maiores perdas para a nossa literatura e a evolução do nosso pensamento.

De tudo se conclui que no primeiro quartel do século XIX esboçaram-se no Brasil condições para definir tanto o público

---

5 Ver Damasceno Vieira, *Memórias históricas brasileiras*. Bahia: Oficina dos Dois Mundos, 1903, v. I, p. 434. Ver também Muniz Tavares, *História da revolução de Pernambuco em 1817*. 3. ed. Recife: Imprensa Industrial, 1917, p. CCLXXI.

quanto o papel social do escritor em conexão estreita com o nacionalismo.

Decorre que os escritores, conscientes pela primeira vez da sua realidade como grupo graças ao papel desempenhado no processo da Independência e ao reconhecimento da sua liderança no setor espiritual, vão procurar, como tarefa patriótica, definir conscientemente uma literatura mais ajustada às aspirações da jovem pátria, favorecendo entre criador e público relações vivas e adequadas à nova fase.

A posição do escritor e a receptividade do público serão decisivamente influenciadas pelo fato da literatura brasileira ser então encarada como algo a criar-se voluntariamente para exprimir a sensibilidade nacional, manifestando-se como ato de brasilidade. Os jovens românticos da *Niterói* são em primeiro lugar patriotas que desejam complementar a Independência no plano estético; e como os moldes românticos previam tanto o sentimento de *segregação* quanto o de *missão* — que o compensa — o escritor pôde apresentar-se ao leitor como militante inspirado da ideia nacional. Vemos, então, que nativismo e civismo foram grandes pretextos, funcionando como justificativa da atividade criadora; como critério de dignidade do escritor; como recurso para atrair o leitor e, finalmente, como valores a transmitir. Se as edições dos livros eram parcas, e lentamente esgotadas, a revista, o jornal, a tribuna, o recitativo, a cópia volante, conduziam as suas ideias ao público de homens livres, dispostos a vibrar na grande emoção do tempo.

Tão importante é esta circunstância para a criação e difusão da literatura, que outras tendências literárias buscavam nela razão de ser, como foi o caso das que se designam pelo nome genérico de sentimentalismo. Assim, a melancolia, a nostalgia, o amor da terra foram tidos como próprios do brasileiro; foram considerados *nacionais* a seu modo, de valor quase cívico, e frequentemente inseparáveis do patriotismo.

Verifica-se, pois, que escritor e público definiram-se aqui em torno de duas características decisivas para a configuração geral da literatura: Retórica e nativismo, fundidos no movimento romântico depois de um desenvolvimento anterior. A ação dos pregadores, dos conferencistas de academia, dos glosadores de mote, dos oradores nas comemorações, dos recitadores de toda hora correspondia a uma sociedade de iletrados, analfabetos ou pouco afeitos à leitura. Deste modo, formou-se, dispensando o intermédio da página impressa, um público de auditores, muito maior do que se dependesse dela e favorecendo, ou mesmo requerendo, no escritor, certas características de facilidade e ênfase, certo ritmo oratório que passou a timbre de boa literatura e prejudicou entre nós a formação dum estilo realmente *escrito* para ser *lido*. A grande maioria dos nossos escritores, em prosa e verso, *fala* de pena em punho e prefigura um leitor que ouve o som da sua voz brotar a cada passo por entre as linhas.

Esta tendência recebeu incremento do nacionalismo, propenso a assumir o tom verbal e mesmo verboso, que desperta a emoção. Formado sob a sua égide o escritor brasileiro guardou sempre algo daquela vocação patriótico-sentimental, com que justificou a princípio a sua posição na sociedade do país autonomista, e logo depois independente; o público, do seu lado, sempre tendeu a exigi-la como critério de aceitação e reconhecimento do escritor. Ainda hoje, a *cor local*, a exibição afetiva, o pitoresco descritivo e a eloquência são requisitos mais ou menos prementes, mostrando que o homem de letras foi aceito como cidadão, disposto a *falar* aos grupos; e como amante da terra, pronto a celebrá-la com arroubo, para

6 "[...] as peças oratórias eram escritas para ser recitadas, mas eram-no com verdadeiro entusiasmo. O povo, que nada lia, era ávido por ouvir os oradores mais famosos [...]. Não havia divertimentos públicos, como hoje; o teatro era nulo; as festas de igreja eram concorridíssimas." Sílvio Romero, *História da literatura brasileira*. 2. ed. Rio de Janeiro: Garnier, 1902-1903, v. I, p. 270.

edificação de quantos, mesmo sem o ler, estavam dispostos a ouvi-lo. Condições todas, como se vê, favorecendo o desenvolvimento, a penetração coletiva de uma literatura sem leitores, como foi e é em parte a nossa.

Sob este ponto de vista, exemplo interessante é o Indianismo, que constitui elaboração ideológica do grupo intelectual em resposta a solicitações do momento histórico e, desenvolvendo-se na direção referida, satisfez às expectativas gerais do público disponível; mas graças ao seu dinamismo como sistema simbólico, atuou ativamente sobre ele, criando o seu público próprio. Não se pode aceitar a opinião de Capistrano de Abreu, para quem ele possui raízes populares, dando forma a certas tendências que, no seio do povo, opunham ao português, o índio, em sentido nativista.[7] A sua raiz é erudita. Mergulha imediatamente no exemplo de Chateaubriand, com uma vitalidade compreensível pela influência mediata de Basílio da Gama e Santa Rita Durão — eles próprios desenvolvendo uma linha de aproveitamento ideológico do índio como protótipo da virtude natural, que remonta aos humanistas do século XVI.[8] Os românticos fundiram a tradição humanista na expressão patriótica e forneceram deste modo à sociedade do novo Brasil um temário nacionalista e sentimental, adequado às suas necessidades de autovalorização. De tal forma que ele transbordou imediatamente dos livros e operou independentemente deles — na canção, no discurso, na citação, na anedota, nas artes plásticas, na onomástica, propiciando a formação de um público incalculável e constituindo possivelmente o maior complexo de influência literária junto ao público, que já houve entre nós.

7 Capistrano de Abreu, *Ensaios e estudos*, 1ª série. Rio de Janeiro: Briguiet, 1931, p. 94. 8 Ver Afonso Arinos de Mello Franco, *O índio brasileiro e a Revolução Francesa*. Rio de Janeiro: José Olympio, 1937.

Mencionemos agora outra consequência importante da literatura se haver incorporado ao civismo da Independência e ter-se ajustado a públicos mais amplos do que os habilitados para a leitura compreensiva: a sua aceitação pelas instituições governamentais, com a decorrente dependência em relação às ideologias dominantes. Neste sentido, avultam três fatores: o frequente amparo oficial de d. Pedro II, o Instituto Histórico e as Faculdades de Direito (Olinda-Recife e São Paulo). A sua função consistiu, de um lado, em acolher a atividade literária como função digna; de outro, a podar as suas demasias, pela padronização imposta ao comportamento do escritor, na medida em que era funcionário, pensionado, agraciado, apoiado de qualquer modo. Houve, neste sentido, um mecenato por meio da prebenda e do favor imperial, que vinculavam as letras e os literatos à administração e à política, e que se legitima na medida em que o Estado reconhecia, desta forma (confirmando-o junto ao público), o papel cívico e construtivo que o escritor atribuía a si próprio como justificativa da sua atividade.

À medida, porém, que o século correu, foi-se vendo outro aspecto desta realidade, que a completa e é em parte devida às próprias Faculdades jurídicas: a reação ante essa ordem excessiva por parte do boêmio e do estudante, que muitas vezes eram o escritor antes da idade burocrática. Este elemento renovador e dinamizador acabou por ser parcialmente racionalizado pelas ideologias dominantes, esboçando-se nos costumes certa simpatia complacente pelo jovem irregular, que antes de ser homem grave quebrava um pouco a monotonia do nosso Império encartolado, mas nem por isso perdia o benefício do seu apoio futuro. Conta-se que Guimarães Passos, moço e miserável, sem ter o que almoçar, planejou com um companheiro de boêmia roubar a carne servida às feras que o Imperador mantinha na Quinta da Boa Vista. Tentando retirá-la de uma jaula, foi afugentado pelos rugidos do animal e veio, em carreira desabalada, parar nas janelas da biblioteca. O bibliotecário, com senso de humor, interessou-se pelo caso, e o talentoso gatuno acabou nomeado arquivista do Palácio...[9]

A anedota simboliza admiravelmente a atitude paternal do Governo, numa sociedade em que o escritor esperava acomodar-se nas carreiras paralelas e respeitáveis, que lhe permitiriam viver com aprovação pública, redimindo ou compensando a originalidade e a rebeldia. Por isso mesmo, talvez tenha sido uma felicidade a morte de tantos escritores de talento antes da servidão burocrática.

Não estranha, pois, que se tenha desenvolvido na nossa literatura oitocentista um certo conformismo de forma e fundo, apesar das exceções já referidas. Ele se liga ao caráter, não raro assumido pelo escritor, de apêndice da vida social, pronto para submeter sua criação a uma tonalidade média, enquadrando a expressão nas bitolas de gosto. Muitos dos nossos maiores escritores — inclusive Gonçalves Dias e Machado de Assis — foram homens ajustados à superestrutura administrativa. A condição de escritor funcionou muitas vezes como justificativa de prebenda ou de sinecura; e para o público, como reconhecimento do direito a ambas, — num Estado patrimonialista como era o nosso. Ainda depois da Revolução de 1930, certa reforma severa no então recente Ministério da Educação, obrigando os inspetores de ensino a desempenhar efetivamente os cargos, esbarrou em três eminentes escritores e os deixou à margem da exigência, reconhecendo desta forma o direito secular do homem de letras, cuja atividade específica justificava o desleixo das que lhe eram dadas por acréscimo.

O Estado e os grupos dirigentes não funcionavam, porém, apenas como patronos, mas como sucedâneo do público;

9 Paulo Barreto (João do Rio), "Elogio de Guimarães Passos", *Revista Americana*, ano I, n. 10-11, jul.-ago. 1910, pp. 16-17.

público vicariante, poderíamos dizer. Com efeito, na ausência de públicos amplos e conscientes, o apoio ou pelo menos o reconhecimento oficial valeram por estímulo, apreciação e retribuição da obra, colocando-se ante o autor como ponto de referência.]

Note-se, também, que prosseguiu por todo o século XIX, e até o início do século XX, a tradição de auditório (ou que melhor nome tenha), graças não apenas à grande voga do discurso em todos os setores da nossa vida, mas, ainda, ao recitativo e à musicalização dos poemas. Foram estas as maneiras principais de veicular a poesia — tanto a dos poetas *oficiais*, como Magalhães ou Porto-Alegre, quanto a dos *irregulares* como Laurindo Rabelo ou Aureliano Lessa. Se as edições eram escassas, a serenata, o sarau e a reunião multiplicavam a circulação do verso, recitado ou cantado. Desta maneira, românticos e pós-românticos penetraram melhor na sociedade, graças a públicos receptivos de *auditores*. E não esqueçamos que, para o homem médio e do povo, em nosso século a encarnação suprema da inteligência e da literatura foi um orador, Rui Barbosa, que quase ninguém lê fora dalgumas páginas de antologia.

Como traço importante, devido ao desenvolvimento social do Segundo Reinado, mencionemos o papel das revistas e jornais familiares, que habituaram os autores a escrever para um público de mulheres, ou para os serões onde se lia em voz alta. Daí um amaneiramento bastante acentuado que pegou em muito estilo; um tom de crônica, de fácil humorismo, de pieguice, que está em Macedo, Alencar e até Machado de Assis. Poucas literaturas terão sofrido, tanto quanto a nossa, em seus melhores níveis, esta influência caseira e dengosa, que leva o escritor a prefigurar um público feminino e a ele se ajustar.

Se for válida esta análise esquemática, devemos concluir que as condições que presidiram, no Brasil, à definição tanto do público quanto do escritor deviam ter favorecido entre ambos uma comunicação fácil e ampla. Mas ficou também visto que o escritor não pôde contar, da parte do público, com uma remuneração que este não era capaz de fornecer, obrigando o Estado a interpor-se entre ambos, como fonte de outras formas de retribuição.

Daí uma situação peculiar no tocante às relações entre o escritor e o grande público — que agora vamos encarar como conjunto eventual de *leitores*. É que no Brasil, embora exista tradicionalmente uma literatura muito acessível, na grande maioria, verifica-se ausência de comunicação entre o escritor e a massa. O paradoxo é apenas aparente, podendo talvez explicar-se por meio do critério seguido no presente estudo.

Com efeito, o escritor se habituou a produzir para públicos simpáticos, mas restritos, e a contar com a aprovação dos grupos dirigentes, igualmente reduzidos. Ora, esta circunstância, ligada à esmagadora maioria de iletrados que ainda hoje caracteriza o país, nunca lhe permitiu diálogo efetivo com a massa, ou com um público de leitores suficientemente vasto para substituir o apoio e o estímulo de pequenas *elites*. Ao mesmo tempo, a pobreza cultural destas nunca permitiu a formação de uma literatura complexa, de qualidade rara, salvo as devidas exceções. *Elite* literária, no Brasil, significou até bem pouco tempo, não refinamento de gosto, mas apenas capacidade de interessar-se pelas letras.

Correspondendo aos públicos disponíveis de leitores, — pequenos e singelos — a nossa literatura foi geralmente acessível como poucas, pois até o Modernismo não houve aqui escritor realmente difícil, a não ser a dificuldade fácil do rebuscamento verbal que, justamente porque se deixa vencer logo, tanto agrada aos falsos requintados. De onde se vê que o afastamento entre o escritor e a massa veio da falta de públicos quantitativamente apreciáveis, não da qualidade pouco acessível das obras.

Daí o êxito (dentro das limitações apontadas) de tanto escritor de talento, apesar de muita demagogia romântica em contrário. Nenhum exemplo mais significativo que o de Euclides da Cunha, *difícil*, afrontando os poderes, fustigando o Exército — e no entanto aceito triunfalmente pelo Exército, pelos poderes, pelos leitores.

Mas, ainda aqui, devemos voltar ao chavão inicial que nos vem guiando, e lembrar que a constituição do patriotismo como *pretexto*, e a consequente adoção pelo escritor do papel didático de quem contribui para a coletividade, devem ter favorecido a legibilidade das obras. Tornar-se legível pelo conformismo aos padrões correntes; exprimir os anseios de todos; dar testemunho sobre o país; exprimir ou *reproduzir* a sua realidade, — é tendência que verificamos em Magalhães, Alencar, Domingos Olímpio, Bilac, Mário de Andrade, Jorge Amado. Mesmo quando o grande público permanece indiferente, e ele só conta com os pequenos grupos, o escritor brasileiro permanece fácil na maioria dos casos. Como aconteceu na Rússia e na América Espanhola (isto é, nações visando à ocidentalização rápida), ele sempre reivindicou entre nós tarefas mais largas do que as comumente atribuídas à sua função específica.

Estas considerações mostram por que quase não há no Brasil literatura verdadeiramente requintada no sentido favorável da palavra, inacessível aos públicos disponíveis. A literatura considerada de *elite* na tradição ocidental, sendo hermética em relação ao leitor de cultura mediana, exprime quase sempre a autoconsciência extrema de um grupo, reagindo à opinião cristalizada da maioria, que se tornou pesada e sufocadora. Entre nós, nunca tendo havido consolidação da opinião literária, o grupo literário nunca se especializou a ponto de diferenciar-se demasiadamente do teor comum de vida e de opinião. Quase sempre produziu literatura como a produziriam leigos inteligentes, pois quase sempre a sua atividade se elaborou à margem de outras, com as quais a sociedade o retribuía. Papel social reconhecido ao escritor, mas pouca remuneração para o seu exercício específico; público receptivo, mas restrito e pouco refinado. Consequência: literatura acessível mas pouco difundida; consciência grupal do artista, mas pouco refinamento artesanal.

3

As considerações anteriores procuram apontar algumas condições da produção da literatura no Brasil, quase até os nossos dias, do ponto de vista das relações do escritor com o público e dos valores de comunicação.

Na primeira metade do século XX houve alterações importantes no panorama traçado, principalmente a ampliação relativa dos públicos, o desenvolvimento da indústria editorial, o aumento das possibilidades de remuneração específica. Em consequência, houve certa desoficialização da literatura, que havia atingido nos dois primeiros decênios extremos verdadeiramente lamentáveis de dependência ideológica, tornando-se praticamente complemento da vida mundana e de banais padrões acadêmicos. A partir de 1922 o escritor desafogou; e embora arriscando a posição tradicionalmente definida de "ornamento da sociedade" e as consequentes retribuições, pôde definir um papel mais liberto, mesmo não se afastando na maioria dos casos do esquema traçado anteriormente — de participação na vida e aspiração nacionais. A diferenciação dos públicos, alguns dos quais melhor aparelhados para a vida literária, permitiu maiores aventuras intelectuais e a produção de obras marcadas por visível inconformismo, como se viu nas de alguns modernistas e pós-modernistas. Convém mencionar que as *elites* mais refinadas do segundo quartel do século XX não coincidiram sempre, felizmente, a partir de então, com as elites administrativas e mundanas, permitindo assim às letras ressonância mais viva.

Se considerarmos o panorama atual, talvez notemos duas tendências principais no que se refere à posição social do escritor.[10] De um lado, a profissionalização acentua as características tradicionais ligadas à participação na vida social e à acessibilidade da forma; de outro, porventura como reação, a diferenciação de elites exigentes acentua as qualidades até aqui recessivas de refinamento, e o escritor procura sublinhar as suas virtudes de ser excepcional. Há, portanto, uma dissociação do panorama anterior, que lhe dá maior riqueza e, afinal, um contraponto mais vivo. Ao contrário do que se tinha verificado até então, quase sem exceções (pois a supervisão dos grupos dominantes incorporava e amainava imediatamente as inovações e os inovadores), assistiu-se entre nós ao esboço de uma vanguarda literária mais ou menos dinâmica.

É preciso agora mencionar, como circunstância sugestiva, a continuidade da "tradição de auditório", que tende a mantê-la nos caminhos tradicionais da facilidade e da comunicabilidade imediata, de literatura que tem muitas características de produção falada para ser ouvida. Daí a voga da oratória, da melodia verbal, da imagem colorida. Em nossos dias, quando as mudanças assinaladas indicavam um possível enriquecimento da leitura e da escrita feita para ser lida, — como é a de Machado de Assis, — outras mudanças no campo tecnológico e político vieram trazer elementos contrários a isto. O rádio, por exemplo, reinstalou a literatura oral, e a melhoria eventual dos programas pode alargar perspectivas neste sentido. A ascensão das massas trabalhadoras propiciou, de outro lado, não apenas maior envergadura coletiva à oratória, mas um sentimento de missão social nos romancistas, poetas e ensaístas, que não raro escrevem como quem fala para convencer ou comover.

10 O "atual" deste escrito é o ano de 1955, quando foi publicado. (Nota de 2005)

Letras e ideias no período colonial

(Exposição didática)

I

Os primeiros estudiosos da nossa literatura, no tempo do Romantismo, se preocuparam em determinar como ela surgiu aqui, já que o relativismo então reinante ensinara que as instituições da cultura radicam nas condições do meio, variando segundo elas. E como a época era de exigente nacionalismo, consideravam que lutara dois séculos para se formar, a partir do nada, como expressão de uma realidade local própria, descobrindo aos poucos o verdadeiro caminho, isto é, a descrição dos elementos diferenciais, notadamente a natureza e o índio. Um expositor radical desta corrente, Joaquim Norberto, chegou a imaginar a existência de uma literatura indígena, autenticamente nossa, que, a não ter sido sufocada maliciosamente pelo colonizador, teria desempenhado o papel formador que coube à portuguesa...

Daí, a concepção passou à crítica naturalista, e dela aos nossos dias, levando a conceber a literatura como processo retilíneo de abrasileiramento, por descoberta da realidade da terra ou recuperação de uma posição idealmente pré-portuguesa, quando não antiportuguesa. Resultaria uma espécie de espectrograma em que a mesma cor fosse passando das tonalidades esmaecidas para as mais densamente carregadas, até o nacionalismo triunfal dos indianistas românticos.

Este ponto de vista é historicamente compreensível como elemento de tomada de consciência da jovem nação, tanto mais quanto os letrados brasileiros, a certa altura do século XVIII, passaram conscientemente a querer fundar ou criar uma literatura nossa, embora sem as aspirações separatistas que os românticos teriam mais tarde[O ponto de vista moderno tenderia mais ao deles, pois o que realmente interessa é investigar como se formou aqui uma literatura, concebida menos como apoteose de cambucás e morubixabas, de sertanejos e cachoeiras, do que como manifestação dos grandes problemas do homem do Ocidente nas novas condições de existência. Do ponto de vista histórico, interessa averiguar como se manifestou uma literatura enquanto sistema orgânico, articulado, de escritores, obras e leitores ou auditores, reciprocamente atuantes, dando lugar ao fenômeno capital de formação de uma tradição literária.]

Sob este aspecto, notamos, no processo formativo, dois blocos diferentes: um, constituído por manifestações literárias ainda não inteiramente articuladas; outro, em que se esboça e depois se afirma esta articulação. O primeiro compreende sobretudo os escritores de diretriz cultista, ou conceptista, presentes na Bahia, de meados do século XVII a meados do século XVIII; o segundo, os escritores neoclássicos ou arcádicos, os publicistas liberais, os próprios românticos, porventura até o terceiro quartel do século XIX.[Só então se pode considerar formada a nossa literatura, como sistema orgânico que funciona e é capaz de dar lugar a uma vida literária regular, servindo de base a obras ao mesmo tempo universais e locais]

Historicamente considerado, o problema da ocorrência de uma literatura no Brasil se apresenta ligado de modo indissolúvel ao do ajustamento de uma tradição literária já provada há séculos — a portuguesa — às novas condições de vida no trópico. Os homens que escrevem aqui durante todo o período colonial são, ou formados em Portugal, ou formados à portuguesa, iniciando-se no uso de instrumentos expressivos conforme os moldes da mãe-pátria. A sua atividade intelectual ou se destina a um público português, quando desinteressada, ou é ditada por necessidades práticas (administrativas, religiosas etc.). É preciso chegar ao século XIX para encontrar os primeiros escritores formados aqui e destinando a sua obra ao magro público local.

Por isso, não se deve perder de vista duas circunstâncias capitais: o imediatismo das intenções e a exiguidade dos públicos, que produziram algumas importantes consequências. Assim, ou a obra se confundia à atividade prática, como elemento dela (sermão, relatório, polêmica, catequese), ou se fechava na fronteira de pequenos grupos letrados, socialmente ligados às classes dominantes, com tendência consequente ao requinte formal. Num caso e noutro pesava na composição da obra o destino que ela teria. O auditório de igreja, os convivas de sarau seriam os públicos mais à mão; o curso oral, à boca pequena, o meio principal de divulgar. Também a obra exclusivamente escrita pouco se aparta da intenção e pontos de vista práticos, na medida em que é crônica, informação, divulgação.

Estas considerações sugerem alguns dos modos por que se teria processado o ajuste entre a tradição europeia e os estímulos locais, faltando mencionar que os padrões estéticos do momento — os do atualmente chamado Barroco — atuaram como ingrediente decisivo.

2

Procurando sintetizar estas condições, poderíamos dizer que as manifestações literárias, ou de tipo literário, se realizaram no Brasil, até a segunda metade do século XVIII, sob o signo da religião e da transfiguração.

Aquela foi a grande diretriz ideológica, justificando a conquista, a catequese, a defesa contra o estrangeiro, a própria cultura intelectual. Era ideia e princípio político, era forma de vida e padrão administrativo; não espanta que fosse, igualmente, princípio estético e filosófico. À sua luz se abriga toda a obra de José de Anchieta (1533-97), desde as admiráveis cartas-relatórios, descrevendo o quadro natural e social em que se travavam as lutas da fé, até os autos didáticos, os cantos piedosos em que as suas verdades eram postas ao alcance do catecúmeno. As crônicas do jesuíta português Simão de Vasconcelos obedecem a um princípio declaradamente religioso, de informar e edificar; mas o mesmo acontece, no fundo, à *História* do franciscano brasileiro Vicente do Salvador (156?-163?), sob aparência de piedade menos imediata. E até a crônica do militar português Francisco de Brito Freire, tão política, pinta no fundo os progressos da fé, encarnados no guerreiro e administrador que luta contra o protestante flamengo — o que também verificamos no *Valeroso Lucideno*, de frei Manuel Calado.

Se sairmos dessa literatura histórica, deparamos com a oratória sagrada, seara do maior luso-brasileiro do século, o jesuíta Antônio Vieira (1608-97). Já aqui a religião-doutrina se mistura indissoluvelmente à religião-símbolo. Estamos em pleno espaço Barroco, e a dialética intelectual esposa as formas, as metáforas, toda a marcha em arabesco da expressão culta. Estamos, além disso, no gênero ideal para o tempo e o meio, em que o falado se ajusta às condições de atraso da colônia, desprovida de prelos, de gazetas, quase de leitores. Nunca o verbal foi tão importante e tão adequado, sendo ao mesmo tempo a via requerida pela propaganda ideológica e o recurso cabível nas condições locais. E nunca outro homem encarnou tão bem este conjunto de circunstâncias, que então cercavam a vida do espírito no Brasil — pois era ao mesmo tempo missionário, político, doutrinador e incomparável artífice da palavra, penetrando com a religião como ponta de lança pelo campo do profano.

Seu contemporâneo Gregório de Matos (1633-96) foi o profano a entrar pela religião adentro com o clamor do pecado, da intemperança, do sarcasmo, nela buscando guia e lenitivo. Ao orador junta-se este poeta repentista e recitador para configurar ao seu modo, e também sob o signo do Barroco, a oralidade característica do tempo, que permaneceu tendência-limite no meio baiano até os nossos dias. Apesar de conhecido sobretudo pelas poesias burlescas, talvez seja nas religiosas que Gregório alcance a expressão mais alta, manifestando a obsessão pela morte, tão própria da sua época, e nele muito pungente, porque vem misturada à exuberância carnal e ao humorismo satírico, desbragados e saudáveis. Nascido na Bahia, amadureceu no Reino e só voltou à pátria na quadra dos quarenta; lá e aqui não parece ter cuidado em imprimir as obras, que se malbarataram nas cópias volantes e no curso deformador da reprodução oral, propiciando a confusão e a deformação que ainda hoje as cercam.

Em torno dessas duas grandes figuras circulam outras, também da Bahia — clérigos e homens de prol, cultores do discurso e da glosa. Mas um apenas dentre eles parece ter-se considerado realmente homem de letras, tendo sido o primeiro brasileiro nato a publicar um livro: Manuel Botelho de Oliveira (1636-1711). Já aqui não estamos na região elevada em que o estilo culto exprime uma visão da alma e do mundo, emprestando-lhe o seu caprichoso vigor expressivo. Estamos, antes, no âmbito do Barroco vazio e malabarístico, contra o qual se erguerão os árcades, e que passou à posteridade como índice pejorativo da época. Botelho de Oliveira é, deste ponto de vista, mais representativo que os outros da média da nossa literatura culta, as mais das vezes apenas alambicada. E nos serve para introduzir o segundo tema dominante, que se definiu justamente graças ao espírito barroco.

O espanto ante as novidades da terra levou facilmente à hipérbole. As modas literárias e artísticas, dominantes desde os fins do século XVI, somaram-lhe a agudeza e a busca deliberada da expressão complicada e rica. Em consequência, estendeu-se sobre o Brasil, por quase dois séculos, um manto rutilante que transfigurou a realidade — ampliando, suprimindo, torcendo, requintando. Sobre o traço objetivo e descarnado de certos cronistas atentos ao real — Gabriel Soares, Antonil — brotou uma folhagem até certo ponto redentora, que emprestou à terra bruta estatura de lenda e contornos de maravilha. Lembremos apenas o caso do mundo vegetal, primeiro descrito, depois retocado, finalmente alçado a metáfora. Se em Gabriel Soares de Sousa (1587) o abacaxi é fruta, nas *Notícias curiosas e necessárias das cousas do Brasil* (1668), de Simão de Vasconcelos, é fruta real, coroada e soberana; e nas *Frutas do Brasil* (1702), de frei Antônio do Rosário, a alegoria se eleva ao simbolismo moral, pois a régia polpa é doce às línguas sadias, mas mortifica as machucadas — isto é, galardoa a virtude e castiga o pecado. Por isto, o arguto franciscano constrói à sua roda um complicado edifício alegórico, nela encarnando os diferentes elementos do rosário. Nesta fruta, americana entre todas, compendiou-se a transfiguração da realidade pelo Barroco e a visão religiosa. Em Botelho de Oliveira, Rocha Pita, Itaparica, Durão, São Carlos, Porto-Alegre, ela e outras do seu séquito conduzem, até o cerne do século XIX, a própria ideia de mudança da sensibilidade europeia nas condições do Novo Mundo.

A historiografia barroca estendeu o processo a toda a realidade, natural e humana, e os esforços de pesquisa documentária promovidos pelas Academias (dos Esquecidos, 1724-6; dos Renascidos, 1759-60) só deixam de ser listas neutras de bispos e governadores quando os seus dados se organizam num sistema nativista de interpretação religiosa e de metáfora transfiguradora. É o caso, sobretudo, da *História da América portuguesa*, de Sebastião da Rocha Pita (1660-1738), onde o Brasil se desdobra como um portento de glórias nos três reinos da natureza, enquadrando a glória do homem, — que converte o gentio, expulsa o herege e recebe como salário as dádivas vegetais e minerais, a cana e o ouro.

Não suprimindo, mas envolvendo e completando o conhecimento objetivo da realidade, a visão ideológica e estética da colônia se fixa de preferência na apoteose da realidade e no destino do europeu, do pecador resgatado pela conquista e premiado com os bens da terra, quando não redimido pela morte justa. Isto mostra como o verbo literário foi aqui — ajudado e enformado pela mão do Barroco — sobretudo instrumento de doutrina e composição transfiguradora. Alegoria do mundo e dos fatos; drama interior da carne e do espírito; concepção teológica da existência. Rocha Pita, Gregório de Matos, Antônio Vieira encarnam as vigas mestras do ajustamento do verbo ocidental à paisagem moral e natural do Brasil.

3

Essa visão transfiguradora se incorporou para sempre à literatura e aos estudos, constituindo um dos elementos centrais da nossa educação e do nosso ponto de vista sobre as coisas. Em meados do século XVIII veio juntar-se a ela uma concepção até certo ponto nova que representa, nas ideias em geral, a influência das correntes ilustradas do tempo; a literatura do Classicismo de inspiração francesa e do Arcadismo italiano. Sem anular as tendências anteriores, as correntes então dominantes no gosto e na inteligência apresentam caracteres diversos. Poderíamos esquematizá-las dizendo: 1. que a confiança na razão procurou, se não substituir, ao menos alargar a visão religiosa; 2. que o ponto de vista exclusivamente moral se completou — sobretudo nas interpretações sociais — pela fé no princípio do progresso; 3. que, em lugar da transfiguração da natureza e dos sentimentos, acentuou-se a fidelidade ao real. Em suma, formou-se uma camada mais ou menos neoclássica, rompida a cada passo pelos afloramentos do forte sedimento barroco.]

Aproximadamente com tais características, ocorreu no Brasil uma pequena Época das Luzes, que se encaminhou para a independência política e as teorias da emancipação intelectual, tema básico do nosso Romantismo após 1830. Historicamente, ela se liga ao pombalismo, muito propício ao Brasil e aos brasileiros, e exemplo do ideal setecentista de bom governo, desabusado e reformador. Para uma colônia habituada à tirania e carência de liberdade, pouco pesaria o despotismo de Pombal; em compensação, avultaram a sua simpatia pessoal pelos colonos, que utilizou e protegeu em grande número, assim como os planos e medidas para o nosso desenvolvimento. Algo moderno parecia acontecer; e os escritores do Brasil se destacam no ciclo do pombalismo literário, com o *Uraguai*, de Basílio da Gama, justificando a luta contra os jesuítas; *O desertor*, de Silva Alvarenga, celebrando a reforma da Universidade; *O reino da estupidez*, de Francisco de Melo Franco, atacando a reação do tempo de d. Maria I. Isto, sem contar uma série de poemas ilustrados de Cláudio Manuel da Costa e Alvarenga Peixoto, formulando a teoria do bom governo, apelando para as grandes obras públicas, louvando o governante capaz: Pombal, Gomes Freire de Andrada, Luís Diogo Lobo da Silva.

Daí resultou incremento do nativismo, voltado, agora, não apenas para a transfiguração do país, mas para a investigação sistemática da sua realidade e para os problemas de transformação do seu estatuto político. As condições econômicas eram outras, impondo-se a libertação dos monopólios metropolitanos — sobretudo o do comércio — num país que sofrera o baque do ouro decadente e necessitava maior desafogo para manter a sua população. As revoluções norte-americana e francesa, o exemplo das instituições inglesas, o nascente liberalismo oriundo de certas tendências ilustradas completariam o impacto do pombalismo, formando um ambiente receptivo para as ideias e medidas de modernização político-econômica e cultural, logo esboçadas aqui com a presença da Corte, a partir de 1808. No Brasil joanino conjugaram-se as tendências e as circunstâncias, tornando inevitável a autonomia política.

[Estas considerações visam sugerir que, no período em questão, houve entrosamento acentuado entre a vida intelectual e as preocupações político-sociais. As diretrizes respectivas — conforme as entreviam os nossos homens de então nos modelos franceses e ingleses — se harmonizavam pela confiança na força da razão, considerada tanto como instrumento de ordenação do mundo, quanto como modelo de uma certa arte clássica, abstrata e universal. A isto se juntavam: 1. o culto da natureza, que favoreceu a busca da naturalidade de expressão e sinceridade de emoção, contrabalançando a sua eventual secura; 2. o desejo de investigar o mundo, conhecer a lei da sua ordem, que a razão apreendia; 3. finalmente, a aspiração à verdade, como descoberta intelectual, como fidelidade consciente ao natural, como sentimento de justiça na sociedade.]

No caso brasileiro, estes pendores se manifestaram frequentemente pelo desejo de mostrar que também nós tínhamos capacidade para criar uma expressão racional da natureza, generalizando o nosso particular mediante as disciplinas intelectuais aprendidas com a Europa. E que havia uma verdade relativa às coisas locais, desde a descrição nativista das suas características, até a busca das normas justas, que deveriam pautar o nosso comportamento como povo.

A passagem a esta nova maneira de ver é clara na diferença entre dois grêmios, que se sucederam na segunda metade do século XVIII. A Academia dos Renascidos, fundada na Bahia em 1759 por um grupo de legistas, clérigos e latifundiários, abordava temas literários e históricos, — de uma história lendária e próxima à epopeia, ou de uma crônica mais ou menos ingênua de acontecimentos. Dela resultaram os *Desagravos do Brasil*, de Loreto Couto, a *História militar*, de José Mirales, as *Memórias para a história da capitania de São Vicente*, de frei Gaspar da Madre de Deus. A Academia assinala um instante capital na formação da nossa literatura, ao congregar homens de letras de várias partes da colônia, num primeiro lampejo de integração nacional.

A Academia Científica, fundada no Rio em 1771 por médicos, e reformada sob o nome de Sociedade Literária em 1786, para durar intermitentemente até 1795, propagou a cultura do anil e da cochonilha, introduziu processos industriais, promoveu estudos sobre as condições do Rio e acabou criticando a situação da colônia, com base em Raynal e inspirações também em Rousseau e Mably.

Nos escritores deste período encontramos os que representam uma passagem, ou mistura, de Barroco e Arcadismo; os que manifestam diferentes aspectos de um nativismo que vai deixando de ser apenas extático para ser também racional; os que procuram superar a contorção do estilo culto por uma expressão adequada à natureza e à verdade; os que passam da transfiguração da terra para as perspectivas do seu progresso.

Muito interessantes como sintoma são os *Diálogos político-morais* (1758), de Feliciano Joaquim de Sousa Nunes, ou antes a sua "Introdução", onde vem claramente expresso o tema do ressentimento dos intelectuais brasileiros, que desejavam ser reconhecidos a par dos metropolitanos e se apegavam, como defesa, à teoria de que o critério da avaliação deveria ser o mérito, não as circunstâncias de naturalidade ou posição social.

Esta atitude ocorre também em Cláudio Manuel da Costa (1729-89), escritor de transição entre o cultismo e as novas tendências, representando de algum modo o início de uma atividade literária regular e de alta qualidade no seu país. Contemporâneo dos fundadores da Arcádia Lusitana (1756), que empreendeu a campanha neoclássica em Portugal, reajustou conforme os seus preceitos a forte vocação barroca, encontrando a solução numa espécie do Neoquinhentismo — parecendo um novo Diogo Bernardes pela síntese da simplicidade clássica e certo maneirismo infuso. Há muita beleza nas suas éclogas, apesar da eventual prolixidade; mas nos sonetos está o melhor do seu estro, como forma e elaboração dos dados humanos.

Apegado à terra natal, é visível nele a impregnação em profundidade dos seus aspectos típicos, naturais e sociais: rocha, ouro, mineração, angústia fiscal. Neste sentido, empreendeu cantar numa epopeia a vitória das normas civis sobre o caos da zona pioneira de aventureiros, narrando a história da capitania de Minas. O resultado foi mau, não chegando a publicar o referido poema — *Vila Rica* — embora o tivesse aprontado antes de 1780.

Seu amigo Inácio José de Alvarenga Peixoto (1744-93) deixou obra pequena, próxima da sua pela forma e as preocupações políticas, e igualmente embebida na realidade mineira. Com Tomás Antônio Gonzaga (1744-1810), companheiro de ambos em Ouro Preto, o Arcadismo encontrou no Brasil a mais alta expressão. Na sua obra há um aspecto de erotismo frívolo, expresso principalmente nas poesias de metro curto, anacreônticas em grande parte, celebrando a namorada, depois noiva, sob o nome pastoral de Marília. Mas ela vale sobretudo pelas de metro longo, voltadas para a expressão lírica da sua própria personalidade. Nelas, com admirável simplicidade e nobreza, traça um roteiro das suas preocupações, da sua visão do mundo e, depois de preso, do seu otimismo estoico. A ele se tem atribuído cada vez mais a autoria das famosas *Cartas chilenas*, sátira violenta contra um governador de Minas, verberando desmandos administrativos e revelando costumes do tempo, em verso enérgico e expressivo.

Estes três poetas se envolveram na Inconfidência Mineira, mas parece que apenas Alvarenga Peixoto desempenhou nela papel militante. De qualquer modo, foram duramente castigados e representam no Brasil o primeiro e até hoje maior holocausto da inteligência às ideias do progresso social.

Igualmente progressistas e muito estritamente pombalinos (como ficou dito) foram dois outros contemporâneos, que formam um par separado: José Basílio da Gama (1741-95) e Manuel Inácio da Silva Alvarenga (1749-1814).

O *Uraguai* (1769), do primeiro (porventura a mais bela realização poética do nosso Setecentos), classificado em geral como epopeia, é na verdade um curto poema narrativo de assunto bélico, visando ostensivamente atacar os jesuítas e defender a intervenção pombalina nas suas missões do Sul. Visivelmente atrapalhado por um material polêmico que não teria tempo, ou disposição de elaborar, o poeta relegou-o para as notas o mais que pôde. No corpo do poema avultou a simpatia pelo índio, esmagado entre interesses opostos; e a fantasia criadora elaborou um admirável universo plástico, descrevendo a natureza e os feitos com um decassílabo solto de rara beleza e expressividade, nutrido de modelos italianos. Graças a isto, o *Uraguai* se tornou um dos momentos-chave da nossa literatura, descrevendo o encontro de culturas (europeia e ameríndia), que inspiraria o Romantismo indianista, para depois se desdobrar, como preocupação com o novo encontro entre a cultura urbanizada e a rústica, até *Os sertões*, de

Euclides da Cunha, o romance social e a sociologia. No tempo de Basílio, tratava-se de optar, neste processo, entre a tradicional orientação catequética e a nova direção estatal, colocando-se ele francamente ao lado desta.

Na mesma linha se pôs seu amigo Silva Alvarenga, que veio para o Rio depois de formado, enquanto ele permanecia em Portugal. Silva Alvarenga, no poema herói-cômico *O desertor* (1774), apoia a reforma da Universidade, atacando os velhos métodos escolásticos; e, pela vida afora, mesmo após a reação que sucedeu à queda de Pombal, continuou fiel à sua obra e às tendências ilustradas, em poemas didáticos e, sobretudo, pela já referida atuação na Sociedade Literária, de que foi mentor e lhe valeu quase quatro anos de prisão. O seu papel foi muito importante no Rio dos últimos decênios do século XVIII, pois influiu, como professor, na geração de que sairiam alguns próceres da Independência, — o que faz do velho árcade um elo entre as primeiras aspirações *ilustradas* brasileiras e a sua consequência político-social.

Como poeta, entretanto, é sobretudo o autor de *Glaura* (1799), que contém uma série de rondós e outra de madrigais. Os primeiros são uma forma poética inventada por ele com base numa estrofe de Metastasio e constituindo, apesar da monotonia, melodioso encanto em que perpassam imagens admiravelmente escolhidas para denotar o velho tema da esperança e decepção amorosa. Os madrigais, mais austeros como forma, mostram a capacidade clássica de exprimir os sentimentos em breve suma equilibrada. Dentre os árcades, é o mais fácil e musical dos poetas, já que Domingos Caldas Barbosa (1740-1800) é antes um modinheiro cujas letras têm pouca força sem a partitura.

Para encerrar este grupo de homens superiormente dotados, falta mencionar frei José de Santa Rita Durão (1722-84), que fica à parte pela decidida oposição à ideologia pombalina e fidelidade à tradição camoniana. A sua cultura escolástica e o afastamento dos meios literários, mais a influência de cronistas e poetas que se ocuparam do Brasil no modo barroco (Vasconcelos, Rocha Pita, Jaboatão, Itaparica), fazem dele, sob muitos aspectos, prolongamento da visão religiosa e transfiguradora atrás mencionada, levando-o a avaliar a colonização do ângulo estritamente catequético. Mas a época e o talento fizeram-no buscar, superando a falsa e afetada epopeia pós-camoniana, um veio quinhentista mais puro, para celebrar a história da sua pátria no *Caramuru* (1781). Resultou um poema passadista como ideologia e fatura, mas fluente e legível, com belos trechos descritivos e narrativos, devido à imaginação reprodutiva e à capacidade de metrificar as melhores sugestões das fontes que utilizou. Ele representa uma posição intermediária importante, por ter atualizado a linha nativista de celebração da terra, abrindo caminho para a sua florescência no século XIX.

Costumava-se abranger estes poetas sob o nome coletivo de Escola Mineira. Na verdade, formam, como vimos, três segmentos distintos no movimento arcádico, e a designação só se justificaria caso tomada como sinônimo do grupo brasileiro dentro do Arcadismo português, dada a circunstância de todos eles terem ou nascido em Minas, ou lá passado as partes decisivas da vida.

4

A geração que fez os estudos em Coimbra, depois da Reforma Pombalina de 1759, encontrou oportunidades novas de formação científica. Os brasileiros as agarraram com notável sofreguidão, sendo proporcionalmente grande o número dos que seguiram cursos de matemática, ciências naturais e medicina. Além disso, começam a ir segui-los em outras universidades europeias, como Edimburgo e Montpellier, alargando os horizontes mentais. Não nos esqueçamos que eram médicos formados nesta Jacinto José da Silva, um dos principais acusados no processo da Sociedade Literária, e Manuel de Arruda Câmara, mentor dos liberais pernambucanos, enquanto um dos ideadores da Inconfidência Mineira, José Álvares Maciel, estudara ciências naturais e química, em Coimbra e na Inglaterra.

Ocorre então um fato ainda não bem estudado — o da quantidade de jovens bem-dotados e de boa formação que, não obstante, se perdem para a vida científica, ou não tiram dela os frutos possíveis. É que a multiplicidade das tarefas que então se apresentam os solicita para outros rumos, enquanto a pobreza do meio condena a sua atividade ao empirismo, ou ao abafamento pela falta de repercussão. Isto, não só para os que trabalham na pátria, mas ainda para os que servem na metrópole. O motivo se prende em parte à própria estrutura social, pois a inexistência de estratos intermédios entre o homem culto e o homem comum, bem como a falta de preparação dos estratos superiores, os forçava às posições de liderança administrativa ou profissional. Eram por assim dizer aspirados pelos postos de responsabilidade, quaisquer que eles fossem — vendo-se o mesmo homem ser oficial, professor, escritor e político; ou desembargador, químico e administrador. Outros, que logravam ficar nos limites da sua especialidade, viam os seus trabalhos votados ao esquecimento, inéditos por desinteresse do meio ou dispersos pela desídia e desonestidade.

De qualquer modo, representam um triunfo relativo das Luzes, e muitos marcaram o seu tempo. Poucas vezes o Brasil terá produzido, no espaço dum quarto de século, numa população livre que talvez não atingisse 2 milhões, na absoluta maioria analfabetos, homens da habilitação científica de Alexandre Rodrigues Ferreira, Francisco José de Lacerda e

Almeida, José Bonifácio de Andrada e Silva, Francisco de Melo Franco, José Vieira Couto, Manuel Ferreira da Câmara de Bittencourt e Sá, seu irmão José de Sá Bittencourt Câmara, José Mariano da Conceição Veloso, Leandro do Sacramento — para citar os de maior porte, deixando fora uma excelente segunda linha de estudiosos e divulgadores, que se contam por dezenas.

Todos, ou quase todos estes homens tinham, como era próprio às concepções do tempo, uma noção muito civil da atividade científica, desejando que ela revertesse imediatamente em benefício da sociedade, como proclamavam tanto um Rodrigues Ferreira no último quartel do século XVIII, quanto o matemático Manuel Ferreira de Araújo Guimarães em 1813, na apresentação da sua revista *O Patriota*. A eles devemos os primeiros reconhecimentos sistemáticos do território, em larga escala, seja do ponto de vista geodésico (Lacerda e Almeida), seja zoológico e etnográfico (Rodrigues Ferreira), seja botânico (Veloso, Leandro), bem como as primeiras tentativas de exploração e utilização científica das riquezas minerais (Vieira Couto, Câmara). Entre eles se recrutaram alguns dos líderes mais importantes da Independência e do Primeiro Reinado, como o naturalista José Bonifácio, os matemáticos Vilela Barbosa e Ribeiro de Resende, pois muitos deles passaram (consequência natural da filosofia das Luzes, e solicitação de um meio pobre em homens capazes) da ciência à política, da especulação à administração.

Ao seu lado avulta um segundo grupo (a que muitos deles pertencem igualmente), também formado sob o influxo das reformas do grande marquês: são os publicistas, estudiosos da realidade social, doutrinadores dos problemas por ela apresentados, como José da Silva Lisboa (1756-1835), divulgador da economia liberal entre nós, porta-voz dos interesses comerciais da burguesia litorânea; ou Hipólito José da Costa Pereira (1774-1823), o nosso primeiro jornalista, que a partir de

1808 empreendeu no *Correio Brasiliense*, publicado em Londres, uma esclarecida campanha a favor da modernização da vida brasileira, sugerindo uma série de medidas do maior alcance, como responsabilidade dos governadores, representação provincial, abolição do cativeiro, imigração de artífices e técnicos, fundação da Universidade, transferência da capital para o interior.

Figura de relevo foi a de d. José Joaquim da Cunha de Azeredo Coutinho (1743-1821), que talvez encarne como ninguém as tendências características da nossa Ilustração — ao mesmo tempo religiosa e racional, passadista e progressista, realista e utópica, misturando a influência dos filósofos ao policiamento clerical. A sua obra de educador no famoso Seminário de Olinda é considerada o marco do ensino moderno entre nós, enquanto o *Ensaio econômico* (1794) entra pelo devaneio e o plano salvador (que tanto nos caracterizariam daí por diante), procurando associar o índio ao progresso graças ao aproveitamento das suas aptidões naturais, canalizando-as para a navegação, e esta para o comércio do sal, reputada fonte revolucionadora de riqueza.

Com este bispo ilustre, tocamos num terceiro grupo intelectual que desempenhou papel decisivo nas nossas Luzes e sua aplicação ao plano político: os sacerdotes liberais, diretamente ligados à preparação dos movimentos autonomistas. Núcleo fundamental foi, por exemplo, o que se reuniu em Pernambuco à volta do padre Manuel de Arruda Câmara (1752-1810), provavelmente de caráter maçônico — o chamado Areópago de Itambé — e se prolongou através do proselitismo do padre João Ribeiro Pessoa, seu discípulo, formando os quadros das rebeliões de 1817 e 1824, a que se ligam outros tonsurados liberais: os padres Roma e Alencar; os frades Miguelinho e Joaquim do Amor Divino Caneca (1779-1825), este, panfletário e jornalista de extraordinário vigor, teórico do regionalismo pernambucano, fuzilado pelo seu papel na Confederação do Equador.

Os oradores sacros se desenvolveram então em grande relevo, graças à paixão de d. João VI pelos sermões; e muitos deles, além de contribuírem para formar o gosto literário, usaram o púlpito como tribuna de propaganda liberal, sobretudo na preparação final da Independência e no Primeiro Reinado, sendo muitos deles maçons praticantes, como Januário da Cunha Barbosa (1780-1846), companheiro de Gonçalves Ledo no jornal *Revérbero Constitucional*. Outros, como os frades Sampaio e Monte Alverne, chegaram a exercer acerbamente o direito de crítica em relação às tendências autoritárias do primeiro imperador. Assim, pela mistura de devoção e liberalismo, o clero brasileiro do primeiro quartel do século XIX — classe culta por excelência — encarnou construtivamente alguns aspectos peculiares da nossa Época das Luzes, ardente e contraditória.

O quarto grupo nos traz de volta aos escritores propriamente ditos, os literatos, que então eram quase exclusivamente poetas. Entre 1750 e 1800 nascem umas duas gerações, unificadas em grande parte por caracteres comuns e, no conjunto, nitidamente inferiores às precedentes. Árcades, eles ainda o são; mas empedernidos, usando fórmulas que muitos deles começam a pôr em dúvida. Como recebem algumas influências diversas, ampliam, por outro lado, as preocupações, ou modificam o rumo com que elas antes se manifestavam. É o caso de certo naturismo didático ou meditativo, que aprendem no inglês Thomson, nos franceses Saint-Lambert e Delille, e ocorre nalguns versos de José Bonifácio (1765- -1837) e Francisco Vilela Barbosa (1769-1846). E se este não sai, poeticamente falando, do âmbito setecentista, o primeiro chega a interessar-se por Walter Scott e Byron, enquanto sua boa formação de helenista o conduz a traduções e imitações, reveladoras de um Neoclassicismo diferente do que, entre os árcades anteriores, decorria da leitura assídua de autores em língua latina.

Se um Bento de Figueiredo Tenreiro Aranha (1769-1811) é continuador puro e simples dos aspectos neoquinhentistas da Arcádia, José Elói Ottoni (1764-1851) opta decididamente pelas cadências melodiosas da poética bocagiana, usando o decassílabo sáfico (acentuado na 4ª, 8ª e 10ª sílabas) de um modo bastante próximo ao dos futuros românticos.

Estes costumavam dizer de dois outros poetas — padre Antônio Pereira de Sousa Caldas (1762-1814) e frei Francisco de São Carlos (1763-1829) — que haviam sido seus precursores, por se terem aplicado à poesia religiosa em detrimento das sugestões mitológicas. A opinião é superficial, ao menos quanto ao segundo, e se explica pelo desejo de criar uma genealogia literária, pois não apenas os temas religiosos foram largamente versados na tradição portuguesa, como, estética e ideologicamente, o poema *Assunção*, de São Carlos, é prolongamento do nativismo ornamental de outros poetas nossos (Itaparica, Durão). É aliás uma obra frouxa, sem inspiração, prejudicada pela monotonia fácil dos decassílabos rimados em parelhas. Mas como foi composta no tempo da vinda de d. João VI, manifesta, muito mais que os anteriores, o senso de integração nacional, abrangendo todo o país na sua louvação ingênua e descosida.

A maior destas figuras literárias é Sousa Caldas, inspirado na mocidade pelas ideias de Rousseau, que o levaram à humilhação dum auto de fé penitenciário e à reclusão em convento. Mas o seu liberalismo era acompanhado de fé igualmente viva, que o fez tomar ordens sacras aos trinta anos e destruir quase todas as poesias profanas que compusera. Daí por diante escreveu poemas sagrados — duros, corretos, fastidiosos — e traduziu com mão bem mais inspirada a primeira parte dos

Salmos de Davi. Mas permaneceu fiel às ideias, sempre suspeito às autoridades. Por altura de 1812-3 redigiu uma série de ensaios político-morais sob a forma de cartas, de que infelizmente restam apenas cinco, para amostra do quanto perdemos. Elas manifestam ousadia e penetração, versando a liberdade de pensamento e as relações da Igreja com o Estado, num molde de avançado radicalismo. Já em 1791 escrevera uma admirável carta burlesca, em prosa e verso, alternadamente, sugerindo atitude mais adequada ao homem moderno, inclusive repúdio à imitação servil da antiguidade e à tirania dos clássicos no ensino.

Provavelmente por influência de Sousa Caldas — que admirava e cujo epitáfio redigiu — Elói Ottoni se dedicou a traduzir textos sagrados, publicando os *Provérbios* (1815) e deixando inédito o *Livro de Jó*. Note-se a preocupação destes poetas com o Velho Testamento — que seria largamente utilizado no Romantismo — definindo um universo religioso diverso da piedade rotineira que São Carlos representa.

Em 1813, o matemático Araújo Guimarães (1777-1838) fundou no Rio *O Patriota*, que durou até o ano seguinte e foi a primeira revista de cultura a funcionar regularmente entre nós, estabelecendo inclusive o padrão que regeria as outras pelo século afora: trabalhos de ciência pura e aplicada ao lado de memórias literárias e históricas, traduções, poemas, notícias. Como diretriz, o empenho em difundir a cultura a bem do progresso nacional.

O Patriota publicou versos de Tomás Antônio Gonzaga, Cláudio Manuel da Costa, Silva Alvarenga. Dentre os colaboradores contemporâneos, sobressaiu, com a inicial B. em oito artigos de ciência aplicada, Domingos Borges de Barros (1779-1855), árcade influenciado pelos franceses, sobretudo Parny e Delille, que encontrou a certa altura uma tonalidade pré-romântica de melancolia e meditação, redimindo a banalidade de uma obra medíocre tanto na parte frívola quanto na patética, esta representada por um poema fúnebre sobre a morte do filho, *Os túmulos* (1825). Com José da Natividade Saldanha (1795-1830) — tipo curioso de agitador liberal, exilado a partir de 1824, — chegamos ao fim da poesia brasileira anterior ao Romantismo, no que ela tem de aproveitável. É um árcade meticuloso, nas obras líricas e nas patrióticas, mostrando que o civismo incrementava e consolidava a diretriz neoclássica, em virtude do apelo constante aos modelos romanos.

Maior agitação interior e claras premonições de Romantismo encontramos nos sermões do referido frei Francisco de Monte Alverne (1784-1857), que sofreu a influência de Chateaubriand e manifestou pela primeira vez, entre nós, aquele sentimento religioso simultaneamente espetacular e langue, típico dos românticos, parecendo menos devoção que ensejo de emoção pessoal. Apesar da pompa convencional e da monotonia nas ideias, muitos dos seus discursos ainda resistem hoje à leitura, permitindo avaliar o fascínio que exerceu sobre os contemporâneos.

* * *

As letras e ideias no Brasil colonial se ordenam, pois, com certa coerência, quando encaradas segundo as grandes diretrizes que as regeram. Em ambas coexistiram a pura pesquisa intelectual e artística, e uma preocupação crescente pela superação do estatuto colonial. Esse pendor, favorecido pela concepção ilustrada da inteligência a partir da segunda metade do século XVIII, permitiu a precipitação rápida da consciência nacional durante a fase joanina, fornecendo bases para o desenvolvimento mental da nação independente.

Literatura e cultura de 1900 a 1945

(Panorama para estrangeiro)

I

[Se fosse possível estabelecer uma lei de evolução da nossa vida espiritual, poderíamos talvez dizer que toda ela se rege pela dialética do localismo e do cosmopolitismo, manifestada pelos modos mais diversos.]Ora a afirmação premeditada e por vezes violenta do nacionalismo literário, com veleidades de criar até uma língua diversa; ora o declarado conformismo, a imitação consciente dos padrões europeus. Isto se dá no plano dos programas, porque no plano psicológico profundo, que rege com maior eficácia a produção das obras, vemos quase sempre um âmbito menor de oscilação, definindo afastamento mais reduzido entre os dois extremos. E para além da intenção ostensiva, a obra resulta num compromisso mais ou menos feliz da expressão com o padrão universal. O que temos realizado de mais perfeito como obra e como personalidade literária (um Gonçalves Dias, um Machado de Assis, um Joaquim Nabuco, um Mário de Andrade) representa os momentos de equilíbrio ideal entre as duas tendências.

Nota — É preciso ter em mente que o "atual" deste estudo é o ano de 1950, quando foi redigido. Isso explica certos erros de avaliação e de perspectiva, bem como o sentido então diferente de algumas palavras, como é o caso de "nacionalismo".

Pode-se chamar dialético a este processo porque ele tem realmente consistido numa integração progressiva de experiência literária e espiritual, por meio da tensão entre o dado local (que se apresenta como substância da expressão) e os moldes herdados da tradição europeia (que se apresentam como forma da expressão). A nossa literatura, tomado o termo tanto no sentido restrito quanto amplo, tem, sob este aspecto, consistido numa superação constante de obstáculos, entre os quais o sentimento de inferioridade que um país novo, tropical e largamente mestiçado, desenvolve em face de velhos países de composição étnica estabilizada, com uma civilização elaborada em condições geográficas bastante diferentes. O intelectual brasileiro, procurando identificar-se a esta civilização, se encontra todavia ante particularidades de meio, raça e história nem sempre correspondentes aos padrões europeus que a educação lhe propõe, e que por vezes se elevam em face deles como elementos divergentes, aberrantes. A referida dialética e, portanto, grande parte da nossa dinâmica espiritual se nutrem deste dilaceramento, que observamos desde Gregório de Matos no século XVII, ou Cláudio Manuel da Costa no século XVIII, até o sociologicamente expressivo

Grito imperioso de brancura em mim

de Mário de Andrade, — que exprime, sob a forma de um desabafo individual, uma ânsia coletiva de afirmar componentes europeus da nossa formação.

Dentre as manifestações particulares daquela dialética, ressalta o que se poderia chamar "diálogo com Portugal", que é uma das vias pelas quais tomamos consciência de nós mesmos. Na lenta maturação da nossa personalidade nacional, a princípio não nos destacávamos espiritualmente dos nossos pais portugueses. Mas, à medida que fomos tomando consciência da nossa diversidade, a eles nos opusemos, num esforço de autoafirmação, enquanto, do seu lado, eles nos opunham certos excessos de autoridade ou desprezo, como quem sofre ressentimento ao ver afirmar-se com autonomia um fruto seu. A fase culminante da nossa afirmação — a Independência política e o nacionalismo literário do Romantismo — se processou por meio de verdadeira negação dos valores portugueses, até que a autoconfiança do amadurecimento nos levasse a superar, no velho diálogo, esta fase de rebeldia. Tomada de consciência, portanto, como rebeldia de um lado e despeitado menosprezo de outro. Os respectivos estereótipos se formaram lentamente. Do lado brasileiro, o "magano de Portugal" prenuncia, desde Gregório de Matos, o "marinheiro" dos dias da Independência e da Regência, o "galego" do Naturalismo e de todo o anedotário desenvolvido até os nossos dias, culminando, como última manifestação, na diatribe grosseira e ingênua de Antônio Torres, em *As razões da Inconfidência* (1925). Do lado português, veio desde o crudelíssimo "neto da rainha Ginga" de Bocage, contra o nosso pobre Caldas Barbosa, até o: "Entenderam? É claro como o mulato" — de Camilo Castelo Branco, divertido e agressivo desprezador de brasileiros.

Na verdade, esse longo e por vezes áspero diálogo de família apresenta outros aspectos, se, ainda aqui, passarmos da atitude literária para o mecanismo profundo das influências e das trocas culturais. Pode-se mesmo dizer que a nossa rebeldia estereotipada contra o português, representando um recurso de autodefinição, recobria no fundo um fascínio e uma dependência. Todo o nosso século XIX, apesar da imitação francesa e inglesa, depende literariamente de Portugal, através de onde recebíamos não raro o exemplo e o tom da referida imitação. Quando o diálogo se despoja da sua aspereza, amainando-se em mesuras acadêmicas, convênios ortográficos, exaltações e louvores recíprocos, na retórica sentimental e vazia das missões culturais (estamos descrevendo o que se passa no século XX), podemos ver que a influência morreu, praticamente, tanto é verdade que a vida se nutre das tensões e dos conflitos.

2

Na literatura brasileira há dois momentos decisivos que mudam os rumos e vitalizam toda a inteligência: o Romantismo, no século XIX (1836-1870), e o ainda chamado Modernismo, no presente século (1922-1945). Ambos representam fases culminantes de particularismo literário na dialética do local e do cosmopolita; ambos se inspiram, não obstante, no exemplo europeu. Mas, enquanto o primeiro procura superar a influência portuguesa e afirmar contra ela a peculiaridade literária do Brasil, o segundo já desconhece Portugal, pura e simplesmente: o diálogo perdera o mordente e não ia além da conversa de salão. Um fato capital se torna deste modo claro na história da nossa cultura; a velha mãe-pátria deixara de existir para nós como termo a ser enfrentado e superado. O particularismo se afirma agora contra todo academismo, inclusive o de casa, que se consolidara no primeiro quartel do século XX, quando chegaram ao máximo o amaciamento do diálogo e a consequente atenuação da rebeldia.

Convém assinalar que a literatura brasileira no século XX se divide quase naturalmente em três etapas: a primeira vai de 1900 a 1922, a segunda de 1922 a 1945 e a terceira começa em 1945. A primeira etapa pertence organicamente ao período que se poderia chamar pós-romântico e vai, grosso modo, de 1880 a 1922, enquanto as duas outras integram um período novo, em que ainda vivemos: sob este ponto de vista, o século literário começa para nós com o Modernismo. Para compreendê-lo, é necessário partir de antes, isto é, da fase 1900-1922.

Comparada com a da fase seguinte (1922-1945), a literatura aparece aí essencialmente como literatura de *permanência*. Conserva e elabora os traços desenvolvidos depois do Romantismo, sem dar origem a desenvolvimentos novos; e, o que é mais interessante, parece acomodar-se com prazer nesta conservação. Como a fase 1880-1900 tinha sido, em contraposição ao Romantismo, antes de busca de equilíbrio que de ruptura, esta, que a acompanha sem ter o seu vigor, dá quase impressão de estagnar-se. Uma literatura satisfeita, sem angústia formal, sem rebelião nem abismos. Sua única mágoa é não parecer de todo europeia; seu esforço mais tenaz é conseguir pela cópia o equilíbrio e a harmonia, ou seja, o academismo.

No romance, o Naturalismo, desprovido da forte convicção determinista que animou um Aluísio Azevedo e um Adolfo Caminha, enlanguesce nas mãos de Emanuel Guimarães, Xavier Marques, Canto e Mello. A *écriture artiste* e o relevo psicológico de Raul Pompeia são agora a retórica e o amaneiramento de Coelho Neto, que domina esta fase com foros de gênio. Mas o produto típico do momento é o romance ameno, picante, feito com alma de cronista social para distrair e embalar o leitor. Forma-se pela confluência do que há de mais superficial em Machado de Assis, da ironia amena de Anatole France e dos romances franceses do Pós-Naturalismo, sentenciosos, repassados de sexualismo frívolo: Paul Bourget, Abel Hermant. Afrânio Peixoto é o representante-padrão desta tríplice tendência, enquanto Léo Vaz se atém aos aspectos mais puramente machadianos. Veiga Miranda, Hilário Tácito, Théo Filho, Benjamim Costallat são exemplos, em escala decrescente, do pendor cada vez mais acentuado para a leviandade do tema sexual-humorístico.

O regionalismo, que desde o início do nosso romance constitui uma das principais vias de autodefinição da consciência local, com José de Alencar, Bernardo Guimarães, Franklin

Távora, Taunay, transforma-se agora no "conto sertanejo", que alcança voga surpreendente. Gênero artificial e pretensioso, criando um sentimento subalterno e fácil de condescendência em relação ao próprio país, a pretexto de amor da terra, ilustra bem a posição dessa fase que procurava, na sua vocação cosmopolita, um meio de encarar com olhos europeus as nossas realidades mais típicas. Esse meio foi o "conto sertanejo", que tratou o homem rural do ângulo pitoresco, sentimental e jocoso, favorecendo a seu respeito ideias feitas perigosas tanto do ponto de vista social quanto, sobretudo, estético. É a banalidade dessorada de Catulo da Paixão Cearense, a ingenuidade de Cornélio Pires, o pretensioso exotismo de Valdomiro Silveira ou do Coelho Neto de *Sertão*; é toda a aluvião *sertaneja* que desabou sobre o país entre 1900 e 1930 e ainda perdura na subliteratura e no rádio.

A publicação de *Os sertões*, de Euclides da Cunha, em 1902, assim como a divulgação dos estudos de etnografia e folclore, contribuiu certamente para esse movimento. Ele falhou na medida em que não soube corresponder ao interesse então multiplicado pelas coisas e os homens do interior do Brasil, que se isolavam no retardamento das culturas rústicas. Caberia ao Modernismo orientá-lo no rumo certo, ao redescobrir a visão de Euclides, que não comporta o pitoresco exótico da literatura sertaneja.

A poesia se apresenta, nessa fase, bastante solidária em espírito ao romance. Ao contrário do Naturalismo, que trouxe a este um vigoroso impulso de análise social, o Parnasianismo pouco trouxera de essencial à nossa poesia, apesar do grande talento de Olavo Bilac, Alberto de Oliveira, Raimundo Corrêa ou Vicente de Carvalho. Dera-lhe uma regularidade plástica maior, mas agravara a sua tendência para a retórica, aproximando-a do tipo de expressão prosaica e ornamental. Talvez o que haja de melhor nos parnasianos seja o seu romantismo — e foi justamente o que desapareceu nos epígonos deste século, para deixar em campo as fórmulas e a logomaquia, num academismo rotundo que lembra os neoclássicos da última geração (primeiro quartel do século XIX).

O Simbolismo, projeção final do espírito romântico, constitui desenvolvimento mais original, limitando-se, porém, à obra de Cruz e Sousa (ainda próxima dos parnasianos a despeito de tudo), e à de Alphonsus de Guimaraens, pouco conhecida antes dos nossos dias. Como movimento estético e ideológico, o Simbolismo serviu de núcleo a manifestações espiritualistas, contrapostas ao Naturalismo plástico dos parnasianos.

As tendências oriundas do Naturalismo de 1880-1900, tanto na poesia quanto no romance e na crítica, propiciaram na fase 1900-1922 um compromisso da literatura com as formas visíveis, concebidas pelo espírito principalmente como encantamento plástico, euforia verbal, regularidade. É o que se poderia chamar Naturalismo acadêmico, fascinado pelo Classicismo greco-latino já diluído na convenção acadêmica europeia, que os escritores procuravam sobrepor às formas rebeldes da vida natural e social do Novo Mundo.

> Alma de origem ática e pagã
> Nascida sob aquele firmamento
> Que azulou as divinas epopeias,
> Sou irmão de Epicuro e de Renan,
> Tenho o prazer sutil do pensamento
> E a serena elegância das ideias

— diz no fim dessa fase Raul de Leoni, resumindo toda a ideologia de que se nutriram os seus contemporâneos mais característicos.

Esta busca de elegância mediterrânea — em que se adelgaçou até esgarçar o Naturalismo vigoroso do século anterior, de intenção mais científica do que estética, — contamina a própria exploração dos temas regionais, pelo gênero ambíguo do conto *sertanejo*.

Em Alphonsus de Guimaraens e Augusto dos Anjos, em Euclides da Cunha e Lima Barreto, poderiam os escritores dessa fase encontrar discordâncias estimulantes para a sua atividade literária. No entanto, ou os deixaram de lado, ou foram buscar neles o que tinham de comum com as limitações de que padeciam: a tenuidade afetiva do primeiro, o desequilíbrio verbal dos outros dois, a ironia superficial do último.

Em crítica literária, a fase 1880-1900, por suas três principais figuras — Sílvio Romero, Araripe Júnior e José Veríssimo, — havia desenvolvido e apurado a tendência principal do nosso pensamento crítico, isto é, o que se poderia chamar a *crítica nacionalista*, de origem romântica. Como em todos os países empenhados então na independência política, o Romantismo foi no Brasil um vigoroso esforço de afirmação nacional; tanto mais quanto se tratava aqui, também, da construção de uma consciência literária. A nossa crítica, rudimentar antes de Sílvio Romero e do Naturalismo, participou do movimento por meio do "critério de nacionalidade", tomado como elemento fundamental de interpretação e consistindo em definir e avaliar um escritor ou obra por meio do grau maior ou menor com que exprimia a terra e a sociedade brasileira.

Fruto direto da estética romântica, — relativista, ciosa dos fatores históricos, inspirada sobretudo em Madame de Staël e Schlegel, através de Garrett e Ferdinand Denis — ela foi no Brasil um elemento importante de autodefinição e diferenciação, principalmente quando se associou às filosofias naturalistas da segunda metade do século.

Na fase que nos ocupa, esta linha se prolonga sem a coerência e sem a necessidade do século anterior. Não é injusto dizer que, amparando-se nos três mestres e modelos já citados, os críticos se eximiram de aprofundar e renovar pontos de vista. Denotam conformismo e superficialidade, indicando não apenas o esgotamento da *crítica nacionalista*, mas a incapacidade de orientar-se para rumos mais estéticos e menos *científicos*, como se esperaria de uma geração inclinada ao diletantismo, o purismo gramatical, o culto da forma. A passagem do historicismo à estética se esboçava na obra de José Veríssimo, o mais literário dos nossos velhos críticos, e nessa fase é tentada pela crítica de inspiração simbolista e idealista, representada sobretudo por Nestor Vítor, mas que não chegou a amadurecer e realizar-se. A crítica se acomodara em fórmulas estabelecidas pelos predecessores.

A *Pequena história da literatura brasileira*, de Ronald de Carvalho (1919), resume toda a evolução crítica anterior, combinando o arcabouço interpretativo do *nacionalismo* com um sentimento mais vivo da beleza, devido, porém, menos a um critério estético definido do que à euforia verbal própria do autor. Neste livro e nos ensaios posteriores de Ronald, se encontra a fusão superficial e elegante da crítica brasileira do século anterior, menos a ideologia naturalista, com a inclinação estética dos simbolistas, menos o fervor espiritualista.

3

Desde o tempo da Primeira Guerra Mundial vinha-se esboçando aqui um fermento de renovação literária, ligado ao Espiritualismo e ao Simbolismo. As suas manifestações mais interessantes são a difusão da filosofia de Farias Brito, a crítica já mencionada de Nestor Vítor e, mais tarde, o apostolado intelectual do católico Jackson de Figueiredo; coincidindo com isso, a poesia penumbrista e intimista, o verso livre, ligados à influência dos belgas (Maeterlinck, Rodenbach, Verhaeren) e de Antônio Nobre, que vem a ser o último português de acentuada influência em nossa literatura, antes da voga atual de Fernando Pessoa entre os jovens. Esta tendência costeou por assim dizer o Modernismo, conservando uma atmosfera algo bolorenta de Espiritualismo lírico, que se manifestará no grupo das revistas *Terra de Sol* e *Festa* e, depois, sobretudo a partir de 1930, constituirá até os nossos dias o contrapeso do localismo, da libertinagem intelectual, do Neonaturalismo implícito no movimento modernista. Convém notar que desta tendência brotaram sugestões decisivas para a criação das modernas ideologias de direita, como o integralismo e certas orientações do pensamento católico.

Todavia, a renovação que propunha, na sua fase inicial, não teve lugar, porque ela não se separava marcadamente da tradição, constituindo de certo modo outro aspecto da *literatura de permanência*, já referida; e sobretudo porque irrompeu noutro plano, e com espírito diverso, o movimento muito mais forte e radical do Modernismo.

A Semana da Arte Moderna (São Paulo, 1922) foi realmente o catalisador da nova literatura, coordenando, graças ao seu dinamismo e à ousadia de alguns protagonistas, as tendências mais vivas e capazes de renovação, na poesia, no ensaio, na música, nas artes plásticas. Integram o movimento alguns escritores intimistas como Manuel Bandeira, Guilherme de Almeida; outros, mais conservadores, como Ronald de Carvalho, Menotti del Picchia, Cassiano Ricardo; e alguns novos que estrearam com livre e por vezes desbragada fantasia: Mário de Andrade, Oswald de Andrade, na poesia e na ficção; Sérgio Milliet, Sérgio Buarque de Holanda, Prudente de Moraes, neto, no ensaio. Dirigindo aparentemente por um momento, e por muito tempo proclamando e divulgando, um escritor famoso da geração passada: Graça Aranha.

No terreno literário, os novos encontraram as duas referidas tendências estéticas, em grande parte combinadas entre si de vária forma, e como se disse, praticamente esgotadas pela ausência de agitação intelectual: o idealismo simbolista e o Naturalismo convencional. Aquele dissolvendo-se no penumbrismo *vers-libriste*; este no diletantismo acadêmico.

A primeira corrente se amparava sobretudo na pesquisa lírica de intenção psicológica; procurava a beleza na expressão de estados inefáveis, por meio de tonalidades raras ou delicadas. Quando erótica, preferiu certa anemia afetiva nem sempre desprovida de perversidade, como se pode ver em Ribeiro Couto (*O jardim das confidências*) e Manuel Bandeira (*Cinza das horas, Carnaval*). No ensaio, visava ao debate metafísico (Renato Almeida: *Fausto: Ensaio sobre o problema do ser*) ou o idealismo estético (Andrade Muricy: *O suave convívio*), não raro resvalando para o ético e religioso (Tasso da Silveira: *A igreja silenciosa*). Vista de conjunto, parece-nos hoje uma solução literária e ideológica frágil e pouco construtiva. Uma espécie de gorjeio esmaecido, em que se refletia aqui o idealismo literário da burguesia europeia; e, por isso mesmo, pouco apto a intervir na nova fase que se impunha, ante o esgotamento do academismo cosmopolita, diletante e pós-naturalista.

Como vimos, este era sobretudo uma conservação de formas cada vez mais vazias de conteúdo; uma tendência a repisar soluções plásticas que, na sua superficialidade, conquistaram por tal forma o gosto médio, que até hoje representam para ele a boa norma literária. Uma literatura para a qual o mundo exterior existia no sentido mais banal da palavra, e que por isso mesmo se instalou num certo oficialismo graças, em parte, à ação estabilizadora da Academia Brasileira, que de 1900 a 1925 teve o seu grande, de certo modo único, período de funcionamento bem ajustado. As letras, o público burguês e o mundo oficial se entrosavam numa harmoniosa mediania.

O Modernismo rompe com as duas tendências, mas sobretudo esta, que ataca com a cooperação assustada dos espiritualistas. Na verdade, ele inaugura um novo momento na dialética do universal e do particular, inscrevendo-se neste com força e até arrogância, por meio de armas tomadas a princípio ao arsenal daquele. Deixa de lado a corrente literária estabelecida, que continua a fluir; mas retoma certos temas que ela e o Espiritualismo simbolista haviam deixado no ar. Dentre estes, a pesquisa lírica tanto no plano dos temas quanto dos meios formais; a indagação sobre o destino do homem e, sobretudo, do homem brasileiro; a busca de uma forte convicção. Dentre os primeiros, o culto do pitoresco nacional, o estabelecimento de uma expressão inserida na herança europeia e de uma literatura que exprimisse a sociedade.

É uma retomada, porém, que aparece sobretudo como ruptura, e realmente o é se atentarmos para o fato de que o plano em que se dá é bem diverso.

Na pesquisa lírica, por exemplo, em lugar do idealismo vagamente esotérico e decadente veremos um apelo às camadas profundas do inconsciente coletivo e pessoal. O nosso Modernismo importa essencialmente, em sua fase heroica, na libertação de uma série de recalques históricos, sociais, étnicos, que são trazidos triunfalmente à tona da consciência literária. Este sentimento de triunfo, que assinala o fim da posição de inferioridade no diálogo secular com Portugal e já nem o leva mais em conta, define a originalidade própria do Modernismo na dialética do geral e do particular.

Na nossa cultura há uma ambiguidade fundamental: a de sermos um povo *latino*, de herança cultural europeia, mas etnicamente mestiço, situado no trópico, influenciado por culturas primitivas, ameríndias e africanas. Esta ambiguidade deu sempre às afirmações particularistas um tom de constrangimento, que geralmente se resolvia pela idealização. Assim, o índio era europeizado nas virtudes e costumes (processo tanto mais fácil quanto desde o século XVIII os nossos centros intelectuais não o conheciam mais diretamente); a mestiçagem era ignorada; a paisagem, amaneirada. No período 1900-1920, vimos que o caboclo passou por um processo de idealização; no plano sociológico, Oliveira Viana elabora a partir de 1917 a sua ridícula teoria das *elites* rurais, arianas e fidalgas, como foco de energia nacional.

O Modernismo rompe com este estado de coisas. As nossas *deficiências*, supostas ou reais, são reinterpretadas como *superioridades*. A filosofia cósmica e superficial, que alguns adotaram certo momento nas pegadas de Graça Aranha, atribui um significado construtivo, heroico, ao cadinho de raças e culturas localizado numa natureza áspera. Não se precisaria mais dizer e escrever, como no tempo de Bilac ou do conde Afonso Celso, que tudo é aqui belo e risonho: acentuam-se a rudeza, os perigos, os obstáculos da natureza tropical. O mulato e o negro são definitivamente incorporados como temas de estudo, inspiração, exemplo. O primitivismo é agora fonte de beleza e não mais empecilho à elaboração da cultura. Isso, na literatura, na pintura, na música, nas ciências do homem.

Mário de Andrade, em *Macunaíma* (a obra central e mais característica do movimento), compendiou alegremente lendas de índios, ditados populares, obscenidades, estereótipos desenvolvidos na sátira popular, atitudes em face do europeu, mostrando como a cada valor aceito na tradição acadêmica e oficial correspondia, na tradição popular, um valor recalcado que precisava adquirir estado de literatura.

Ao lado do problema de aceitação (poder-se-ia até dizer redenção) destas componentes recalcadas da nacionalidade, colocava-se de modo indissolúvel o problema da sua expressão literária. No campo da pesquisa formal os modernistas vão inspirar-se em parte, de maneira algo desordenada, nas correntes literárias de vanguarda na França e na Itália. Assinalemos, porém, que esse empréstimo se reveste de caráter bastante diverso dos anteriores[Com efeito, o Brasil se encontrava, depois da Primeira Guerra Mundial, muito mais ligado ao Ocidente europeu do que antes; não apenas pela participação mais intensa nos problemas sociais e econômicos da hora, como pelo desnível cultural menos acentuado. Além disso, alguns estímulos da vanguarda artística europeia agiam também sobre nós: a velocidade, a mecanização crescente da vida nos impressionavam em virtude do brusco surto industrial de 1914-1918, que rompeu nos maiores centros o ritmo tradicional. As agitações sociais, trazendo ao nível da consciência literária inspirações populares comprimidas, esboçavam-se também aqui, embora em miniatura. No campo operário, com as grandes greves de 1917, 1918, 1919 e 1920, em São Paulo e no Rio, a fundação do Partido Comunista em 1922. No setor burguês, com a fermentação política desfechada no levante de 1922, mais tarde na revolução de 1924. Finalmente, não se ignora o papel que a arte primitiva, o folclore, a etnografia tiveram na definição das estéticas modernas, muito atentas aos elementos arcaicos e populares comprimidos pelo academismo. Ora, no Brasil as culturas primitivas se misturam à vida cotidiana ou são reminiscências ainda vivas de um passado recente. As terríveis ousadias de um Picasso, um Brancusi, um Max Jacob, um Tristan Tzara eram, no fundo, mais coerentes com a nossa herança cultural do que com a deles. O hábito em que estávamos do fetichismo negro, dos calungas, dos ex-votos, da poesia folclórica nos predispunha a aceitar e assimilar processos artísticos que na Europa representavam ruptura profunda com o meio social e as tradições espirituais. Os nossos modernistas se informaram pois rapidamente da arte europeia de vanguarda, aprenderam a psicanálise e plasmaram um tipo ao mesmo tempo local e universal de expressão, reencontrando a influência europeia por um mergulho no detalhe brasileiro. É impressionante a concordância com que um Apollinaire e um Cendrars ressurgem, por exemplo, em Oswald de Andrade.

Desrecalque localista; assimilação da vanguarda europeia. Sublinhemos também o nacionalismo acentuado desta geração renovadora, que deixa de lado o patriotismo ornamental de Bilac, Coelho Neto ou Rui Barbosa, para amar com veemência o exótico descoberto no próprio país pela sua curiosidade liberta das injunções acadêmicas. Um certo número de escritores se aplica a mostrar como somos diferentes da Europa e como, por isso, devemos ver e exprimir diversamente as coisas. Em todos eles encontramos latente o sentimento de que a expressão livre, principalmente na poesia, é a grande possibilidade que tem para manifestar-se com autenticidade um país de contrastes, onde tudo se mistura e as formas regulares não correspondem à realidade.

Cria o teu ritmo livremente.

Este verso de Ronald de Carvalho assinala o novo estado de espírito.

Enquanto certos escritores procuravam *exprimir* a forma e a essência do seu país, outros mais arrojados porfiavam em *pesquisar*, em experimentar formas novas e descobrir sentimentos ocultos. Dentre os primeiros, Guilherme de Almeida (*Raça*, *Meu*) e Ronald de Carvalho (*Toda a América*), atraídos pela clareza, a harmonia que se poderia captar na terra virgem, no povo moço. É uma derivação da linha cósmica de Graça Aranha, muito afeita aos ritmos dinâmicos, à exaltação da paisagem, e procurando embriagar-se pela ação e o nativismo. Na sequência, ou num desvio desta linha, situam-se porventura as correntes que, no Modernismo, passaram do nacionalismo estético ao político, e até ao fascismo:

o Verde-Amarelismo, o movimento da Anta (Menotti del Picchia, Cassiano Ricardo, Plínio Salgado).

A segunda linha, quiçá mais típica, aborda temas análogos com espírito diferente. Mais *humour*, maior ousadia formal, elaboração mais autêntica do folclore e dos dados etnográficos, irreverência mais consequente, produzindo uma crítica bem mais profunda. Sobretudo a descoberta de símbolos e alegorias densamente sugestivos, carregados de obscura irregularidade; a adesão franca aos elementos recalcados da nossa civilização, como o negro, o mestiço, o filho de imigrantes, o gosto vistoso do povo, a ingenuidade, a malandrice. É toda a vocação dionisíaca de Oswald de Andrade, Raul Bopp, Mário de Andrade; este haveria, aliás, de elaborar as diversas tendências do movimento numa síntese superior. A poesia Pau-Brasil e a Antropofagia, animadas pelo primeiro, exprimem a atitude de *devoração* em face dos valores europeus, e a manifestação de um lirismo telúrico, ao mesmo tempo crítico, mergulhado no inconsciente individual e coletivo, de que *Macunaíma* seria a mais alta expressão.

Esta corrente é a que assimila melhor as influências das vanguardas francesas e do Futurismo italiano, no que respeita às técnicas de pesquisa e expressão artística. Da sua atividade, combinada com a influência de Manuel Bandeira, reponta propriamente o estilo moderno na literatura, que encontra as suas mais típicas expressões nas lindes da poesia e da prosa. Prosa telegráfica e sintética de Oswald de Andrade, nas *Memórias sentimentais de João Miramar*, que avança a cada instante rumo à poesia; poesia vibrante e seca de Manuel Bandeira em *Libertinagem*, anexando virtudes da prosa.

É característico dessa geração o fato de toda ela tender para o ensaio. Desde a crônica polêmica (arma tática por excelência, nas mãos de Oswald de Andrade, Mário de Andrade, Ronald de Carvalho, Sérgio Buarque de Holanda), até o longo ensaio histórico e sociológico, que incorporou o movimento ao pensamento nacional, — é grande a tendência para a análise. Todos esquadrinham, tentam sínteses, procuram explicações. Com o recuo do tempo, vemos agora que se tratava de redefinir a nossa cultura à luz de uma avaliação nova dos seus fatores. Pode-se dizer que o Modernismo veio criar condições para aproveitar e desenvolver as intuições de um Sílvio Romero, ou um Euclides da Cunha, bem como as pesquisas de um Nina Rodrigues.

Sob este ponto de vista, o decênio mais importante é o seguinte, de 1930. Na maré montante da Revolução de Outubro, que encerra a fermentação antioligárquica já referida, a literatura e o pensamento se aparelham numa grande arrancada. A prosa, liberta e amadurecida, se desenvolve no romance e no conto, que vivem uma de suas quadras mais ricas. Romance fortemente marcado de Neonaturalismo e de inspiração popular, visando aos dramas contidos em aspectos característicos do país: decadência da aristocracia rural e formação do proletariado (José Lins do Rego); poesia e luta do trabalhador (Jorge Amado, Amando Fontes); êxodo rural, cangaço (José Américo de Almeida, Rachel de Queiroz, Graciliano Ramos); vida difícil das cidades em rápida transformação (Erico Verissimo). Nesse tipo de romance, o mais característico do período e frequentemente de tendência radical, é marcante a preponderância do problema sobre o personagem. É a sua força e a sua fraqueza. Raramente, como em um ou outro livro de José Lins do Rego (*Banguê*) e sobretudo Graciliano Ramos (*S. Bernardo*), a humanidade singular dos protagonistas domina os fatores do enredo: meio social, paisagem, problema político. Mas, ao mesmo tempo, tal limitação determina o importantíssimo caráter de *movimento* dessa fase do romance, que aparece como instrumento de pesquisa humana e social, no centro de um dos maiores sopros de radicalismo da nossa história.

Ao lado da ficção, o ensaio histórico-sociológico é o desenvolvimento mais interessante do período. A obra de Gilberto Freyre assinala a expressão, neste terreno, das mesmas tendências do Modernismo, a que deu por assim dizer coroamento sistemático, ao estudar com livre fantasia o papel do negro, do índio e do colonizador na formação de uma sociedade ajustada às condições do meio tropical e da economia latifundiária (*Casa-grande & senzala*, *Sobrados e mucambos*, *Nordeste*). Outras obras completam a sua, válida sobretudo para o Nordeste canavieiro, como a síntese de Sérgio Buarque de Holanda (*Raízes do Brasil*) e a interpretação materialista de Caio Prado Júnior (*Evolução política do Brasil*). Os ensaios desse gênero se multiplicam, nesse decênio de intensa pesquisa e interpretação do país. Ajustando-se a uma tendência secular, o pensamento brasileiro se exprime, ainda aí, no terreno predileto e sincrético do ensaio não especializado de assunto histórico-social.

Parece que o Modernismo (tomado o conceito no sentido amplo de movimento das ideias, e não apenas das letras) corresponde à tendência mais autêntica da arte e do pensamento brasileiro. Nele, e sobretudo na culminância em que todos os seus frutos amadureceram (1930-1940), fundiram-se a libertação do academismo, dos recalques históricos, do oficialismo literário; as tendências de educação política e reforma social; o ardor de conhecer o país. A sua expansão coincidiu com a radicalização posterior à crise de 1929, que marcou em todo o mundo civilizado uma fase nova de inquietação social e ideológica. Em consequência, manifestou-se uma "ida ao povo", um *V Narod*, por toda parte e também aqui, onde foi o coroamento natural da pesquisa localista, da redefinição cultural desencadeada em 1922. A alegria turbulenta e iconoclástica dos modernistas preparou, no Brasil, os caminhos para a arte interessada e a investigação histórico-sociológica do decênio de

1930. A instauração do Estado Novo ditatorial e antidemocrático marcaria o início de uma fase nova. Ele coincide realmente com o zênite do Modernismo ideológico e uma recrudescência do Espiritualismo, estético e ideológico, que vimos perdurar ao lado dele, tendo começado antes e, mais de uma vez, convergido nos seus esforços de luta contra o academismo.

O decênio de 1930 é com efeito, no Brasil, sobretudo em seus últimos anos, de intensa fermentação espiritualista. Do Simbolismo, da pregação católica de Jackson de Figueiredo, do nacionalismo, resultarão várias tendências ideológicas e estéticas. O romance introspectivo de Cornélio Pena (*Fronteira*) e Lúcio Cardoso (*Luz no subsolo*, *Mãos vazias*); social, de Plínio Salgado (*O esperado*, *O cavaleiro de Itararé*); dramático, de Octávio de Faria (*Mundos mortos*, *Caminhos da vida*), exprimem, seja um inconformismo com o Neorrealismo dos modernos, seja com a sua interpretação geralmente radical da sociedade. A poesia de Augusto Frederico Schmidt, neorromântica, a de Jorge de Lima e Murilo Mendes, católica, marcam neste campo tendências dependentes do Modernismo.

No terreno propriamente das ideias, sociais e políticas, o catolicismo de Tristão de Ataíde (Alceu Amoroso Lima) se afirma como oposição a certas posições ideológicas do Modernismo, no sentido amplo, porque nelas via perigo de dissolver a tradição religiosa e moral do país. Mais extremado na resistência à transformação dos valores surge, à imitação do fascismo, o integralismo de Plínio Salgado, logo avolumado em poderosa organização partidária. Ele representou, de certo modo, a exacerbação de um aspecto do localismo modernista: o nacionalismo, transferido para o terreno da política.

Assim, vemos que as tensões da Europa repercutiram ponderavelmente aqui. Não mais como transposição, mas como manifestação de uma solidariedade cultural intensificada depois da Primeira Guerra Mundial e do nosso progresso econômico.

Direita e esquerda política refletindo na literatura; populismo literário e problemas psicológicos; socialismo e neotomismo; Surrealismo e Neorrealismo; laicismo e arregimentação católica; libertação nos costumes, formação da opinião política; eis alguns traços marcados e frequentemente contraditórios do decênio de 1930, assinalando, quer a projeção estética e ideológica do Modernismo, quer a reação do Espiritualismo literário e ideológico.]

4

Depois de 1940, ou pouco antes, vamos percebendo a constituição de um período novo. Nos dois decênios de 1920 e 1930, assistimos ao admirável esforço de construir uma literatura universalmente válida (pela sua participação nos problemas gerais do momento, pela nossa crescente integração nestes problemas) por meio de uma intransigente fidelidade ao local. A partir de 1940, mais ou menos, assistiremos, ao lado disso, a um certo repúdio do local, reputado apenas pitoresco e extraliterário; e um novo anseio generalizador, procurando fazer da expressão literária um problema de inteligência formal e de pesquisa interior. O Modernismo regionalista, folclórico, libertino, populista, se amaina, inclusive nas obras que os seus próceres escrevem agora, — revelando preocupação mais exigente com a forma ou esforço antissectário no conteúdo. Não obstante, é o momento em que os próceres dos dois decênios publicam algumas das suas melhores produções (*Fogo morto*, de José Lins do Rego, e *Terras do sem-fim*, de Jorge Amado, por exemplo, ambos de 1943; *Sentimento do mundo* e *Rosa do povo*, de Carlos Drummond de Andrade, em 1940 e 1945).

Até 1945, mais ou menos, vemos uma produção intensa, favorecida por grande surto editorial, em que brilham veteranos e novos, estes com tendência crescente para repudiar a literatura social e ideológica, o que veio finalmente a predominar sob a forma de uma queda da qualidade média do romance e uma grande voga de pesquisas formais e psicológicas na poesia.

Entretanto, o abandono da linha modernista não se deu segundo os rumos previstos e propugnados pelos espiritualistas, — a saber, a atenção para o drama moral e o catolicismo poético. Os novos manifestaram pouco interesse pela literatura ideológica de esquerda e de direita, e os que tinham vocação política desleixaram não raro a literatura, passando diretamente à militância. Desenvolve-se, desse modo, o que parece constituir um dos traços salientes dessa fase: a separação abrupta entre a preocupação estética e a preocupação político-social, cuja coexistência relativamente harmoniosa tinha assegurado o amplo movimento cultural do decênio de 1930. Com a definição cada vez mais clara das posições políticas (não só entre direita e esquerda, como antes, mas dentro da própria esquerda e da própria direita), os escritores políticos se tornaram cada vez mais sectários, no sentido técnico da expressão. Tornaram-se especializados na direção propagandística e panfletária, enquanto por outro lado os escritos de cunho mais propriamente estético (sobretudo a poesia e a crítica, os dois gêneros em expansão nos nossos dias) se insulavam no desconhecimento, propositado ou não, da realidade social.

O decênio de 1930 nos aparece agora como um momento de equilíbrio entre a pesquisa local e as aspirações cosmopolitas, já novamente dissociadas em nossos dias de sectarismo estreito acotovelando-se com o formalismo. A queda do movimento editorial, a voga avassaladora da radionovela e do radioteatro, do cinema e dos strips; o conflito entre a inteligência participante e a inteligência contemplativa, que se vão tornando, uma e outra, cada vez mais estritas e inconciliáveis; a própria mobilidade da opinião culta, sempre fascinada pela

Europa e agora também pelos Estados Unidos: — eis alguns traços que ajudam a compreender as contradições literárias dos nossos dias e o afastamento em relação ao período precedente. Vivemos uma fase crítica, demasiado refinada nuns, demasiado grosseira noutros; em todo o caso, pouco criadora, embora muito engenhosa.

Em poesia, as melhores vozes ainda nos vêm de antes, com a de Henriqueta Lisboa (*Flor da morte*, 1949) ou Vinicius de Moraes (*Poemas, sonetos e baladas*, 1946), para não citar Murilo Mendes e Carlos Drummond de Andrade, cujos primeiros livros são de 1930, ou Manuel Bandeira, pré-modernista e modernista da primeira hora. No romance, é significativo o êxito de um veterano, José Geraldo Vieira, cuja obra é revalorizada depois da publicação, em 1943, de *A quadragésima porta*. Obra de cunho cosmopolita, às voltas com problemas intemporais do destino humano, não raro tendo a Europa por cenário, carregada de intenções simbólicas, de vistosa erudição e complicados arrojos vocabulares. Não menos significativo, o de Clarice Lispector (*Perto do coração selvagem*, 1944; *O lustre*, 1946), que situa os seus romances fora do espaço, em curiosas encruzilhadas do tempo psicológico.

Mais significativo do que tudo, porém, são as revistas e agrupamentos poéticos e críticos, as mais das vezes fascinados por problemas de organização formal da sensibilidade, de clarividência poética, e manifestando irritada impaciência com as impurezas literárias da geração anterior. Rapazes frequentemente afeitos à nova crítica, neoformalista, ou à dialética existencial; admiradores de T.S. Eliot e Rilke, umas vezes excessivamente maduros, outras com o ingênuo egotismo da adolescência. Em qualquer caso, raras vezes passando além da habilidade superficial, do drama simulado ou da revolta aparente. Para quem lê com mais atenção a poesia brasileira dos últimos anos, impressiona desde logo o pouco ou nada que ela tem para dizer. E quando tem, o quanto é devido à sensibilidade e aos temas da geração anterior. Salvo num ou noutro mais bem-dotado (um Bueno de Rivera, um Wilson Figueiredo, sobretudo um João Cabral de Melo Neto, para citar apenas três), esta poesia é de pouca personalidade e menor ressonância humana. Em vão buscaríamos entre estes jovens o sopro ardente das *Cinco elegias*, de Vinicius de Moraes, ou a comovedora profundidade de Henriqueta Lisboa em *Flor da morte*.

No entanto, como conjunto e como experiência, os novos poetas representam algo apreciável: com a sua exigência crítica e psicológica, representam a barragem que será estourada quando as correntes represadas da inspiração adquirirem, na experiência individual e coletiva, energia suficiente para superar as atuais experiências técnicas, mais de poética do que de poesia.

[É uma constante não desmentida de toda a nossa evolução literária que a verdadeira poesia só se realiza, no Brasil, quando sentimos na sua mensagem uma certa presença dos homens, das coisas, dos lugares do país.] Esta presença pode ser ostensiva em certas obras-primas, como o "Leito de folhas verdes", de Gonçalves Dias, e mais ainda "O navio negreiro", de Castro Alves; e pode ser implícita, misteriosamente pressentida, como em "Juvenília", de Varela. De qualquer modo, ela é por assim dizer o penhor de eficácia dos nossos poetas, e a condição de que dependem para chegar a esferas menos presas às condições locais. Para alçarem o voo dos "Hinos" (Gonçalves Dias), de "Sub tegmine fagi" (Castro Alves), do "Cântico do Calvário" (Varela). Pouco sentimos desta impregnação nos atuais poetas.[Terão eles superado realmente uma etapa de poesia mais contingente, toda cheia de modismos, pitoresco, sentimentos, para lançar a nossa literatura em sendas mais largas, nas quais seja definitivamente sublimada a dialética do local e do geral? Ou representam (ao mesmo título que os últimos parnasianos, embora sob aspectos totalmente diversos) um momento de cosmopolitismo, que convém ultrapassar rapidamente? Não é possível responder desde já. Apenas parece que orientações como as deles (ou melhor, dos mais característicos dentre eles) são antes experiências do que realizações; neste caso, terão cumprido o papel de fornecer aos sucessores um instrumento renovado e ajustável às necessidades de uma sensibilidade nova, que se desenvolverá certamente quando transpusermos este limiar de coletivismo em que vivemos. A sua consciência artesanal poderá, então, ser conservada e fecundada.

5

Tendo feito a síntese interpretativa do movimento literário nos últimos cinquenta anos, podemos agora fazer algumas considerações sociológicas sobre a função da literatura na cultura brasileira e a sua posição atual.

Constatemos de início (como já tive oportunidade de fazer em outro escrito) que as melhores expressões do pensamento e da sensibilidade têm quase sempre assumido, no Brasil, forma literária. Isto é verdade não apenas para o romance de José de Alencar, Machado de Assis, Graciliano Ramos; para a poesia de Gonçalves Dias, Castro Alves, Mário de Andrade, como para *Um estadista do Império*, de Joaquim Nabuco, *Os sertões*, de Euclides da Cunha, *Casa-grande & senzala*, de Gilberto Freyre — livros de intenção histórica e sociológica. Diferentemente do que sucede em outros países, a literatura tem sido aqui, mais do que a filosofia e as ciências humanas, o fenômeno central da vida do espírito.

O exemplo da sociologia é elucidativo a este respeito. Esboçados os trabalhos e a orientação sociológica desde o último quartel do século XIX, sobretudo com *A mulher e a sociogenia*, de Lívio de Castro, e alguns trabalhos de Sílvio Romero, o primeiro livro propriamente sociológico, no sentido estrito da palavra, só veio a aparecer entre nós em 1939: *Assimilação e populações marginais no Brasil*, de Emílio Willems. Antes, de Euclides da Cunha a Gilberto Freyre, a sociologia aparecia mais como "ponto de vista" do que como pesquisa objetiva da realidade presente. O poderoso ímã da literatura interferia com a tendência sociológica, dando origem àquele gênero misto de ensaio, construído na confluência da história com a economia, a filosofia ou a arte, que é uma forma bem brasileira de investigação e descoberta do Brasil, e à qual devemos a pouco literária *História da literatura brasileira*, de Sílvio Romero, *Os sertões*, de Euclides da Cunha, *Populações meridionais do Brasil*, de Oliveira Viana, a obra de Gilberto Freyre e as *Raízes do Brasil*, de Sérgio Buarque de Holanda. Não será exagerado afirmar que esta linha de ensaio — em que se combinam com felicidade maior ou menor a imaginação e a observação, a ciência e a arte — constitui o traço mais característico e original do nosso pensamento. Notemos que, esboçada no século XIX, ela se desenvolve principalmente no atual, onde funciona como elemento de ligação entre a pesquisa puramente científica e a criação literária, dando, graças ao seu caráter sincrético, uma certa unidade ao panorama da nossa cultura.

Ora, nos nossos dias houve uma transformação essencial deste estado de coisas. Deixando de constituir atividade sincrética, a literatura volta-se sobre si mesma, especificando-se e assumindo uma configuração propriamente estética; ao fazê-lo, deixa de ser uma viga mestra, para alinhar-se em pé de igualdade com outras atividades do espírito. Se focalizarmos não mais o ritmo estético da nossa literatura (que parece desenvolver-se conforme a dialética do local e do cosmopolita), mas o seu ritmo histórico e social, poderíamos talvez defini-la como *literatura de incorporação* que vai passando a *literatura da depuração*.

Com efeito, é fácil perceber que o verbo literário vai perdendo terreno, não apenas em relação à matéria que lhe cabia, mas ao prestígio que tinha como padrão de cultura. Para dar um único exemplo: hoje não compreenderíamos mais fenômenos como a escola baiana de medicina, ou o prolongamento que lhe deram, na Faculdade do Rio, Francisco de Castro e os seus discípulos. Não se poderia admitir, de um lado, a ciência médica expressa em retórica literária; de outro, a literatura considerada como requisito de preeminência científica e social.

⌈A longa soberania da literatura tem, no Brasil, duas ordens de fatores. Uns, derivados da nossa civilização europeia e dos nossos contatos permanentes com a Europa, quais sejam o prestígio das humanidades clássicas e a demorada irradiação do espírito científico. Outros, propriamente locais, que prolongaram indefinidamente aquele prestígio e obstaram esta irradiação. Assinalemos, entre os fatores locais (que nos interessam mais de perto), a ausência de iniciativa política implicada no estatuto colonial, o atraso ainda hoje tão sensível da instrução, a fraca divisão do trabalho intelectual.⌋

A literatura se adaptou muito bem a estas condições, ao permitir, e mesmo forçar, a preeminência da interpretação poética, da descrição subjetiva, da técnica metafórica (da *visão*, numa palavra), sobre a interpretação racional, a descrição científica, o estilo direto (ou seja, o *conhecimento*). Ante a impossibilidade de formar aqui pesquisadores, técnicos, filósofos, ela preencheu a seu modo a lacuna, criando mitos e padrões que serviram para orientar e dar forma ao pensamento. Veja-se, por exemplo, o significado e a voga do Indianismo romântico, que satisfazia tanto às exigências rudimentares do conhecimento (graças a uma etnografia intuitiva e fantasiosa), quanto às da sensibilidade e da consciência nacional, dando-lhes o índio cavalheiresco como alimento para o orgulho e superação das inferioridades sentidas.

Uma consequência interessante foi a supremacia dos estudos de direito. Aos problemas coloniais de estabelecimento de fronteiras e consolidação do território, sucederam no século XIX os graves problemas de estabelecimento e consolidação do Estado, inclusive a ordenação de uma sociedade pouco organizada além dos limites paternalistas da família. É pois compreensível que se tenha propiciado a cultura jurídica (provida desde logo de bases universitárias), com toda a sua tendência para o formalismo, como orientação, através da retórica, como técnica. Se lembrarmos que o discurso e o sermão (sobretudo este) foram os tipos mais frequentes e prezados de manifestação intelectual no tempo da Colônia, veremos quanto a sua fusão no corpo da jurisprudência importa em triunfo do espírito literário como elemento de continuidade cultural.

Justamente devido a essa inflação literária, a literatura contribuiu com eficácia maior do que se supõe para formar uma consciência nacional e pesquisar a vida e os problemas brasileiros. Pois ela foi menos um empecilho à formação do espírito científico e técnico (sem condições para desenvolver-se) do que um paliativo à sua fraqueza. Basta refletir sobre o papel importantíssimo do romance oitocentista como exploração e revelação do Brasil aos brasileiros.

No período em que a nossa literatura ganhou corpo (do século XVIII ao século XIX) eram muito restritos os grupos sociais ao seu alcance. Foi justamente em função destes que ela trabalhou, dando-lhes de certo modo alimento espiritual e recursos mentais para compreender o país. As ciências naturais e humanas, a despeito do belo início que tiveram aqui em fins de século XVIII e início do XIX (quando delimitam a nossa breve *Aufklärung*), não se desenvolveram em seguida no mesmo ritmo que as letras ou o direito. Em parte, porque não tinham ressonância ou possibilidade, como demonstra simbolicamente o ineditismo em que os poderes conservaram os escritos de Alexandre Rodrigues Ferreira, ou a odisseia das pranchas de frei Mariano da Conceição Veloso; em parte, porque a tarefa social mais urgente era, como ficou indicado, de ordem política e jurídica. Desse modo, o espírito da burguesia brasileira se desenvolveu sob influxos dominantemente literários, e a sua maneira de interpretar o mundo circundante foi estilizada em termos, não de ciência, filosofia ou técnica, mas de literatura. Toda a renovação intelectual do Naturalismo, a partir do que Sílvio Romero chamou a Escola do Recife, nos aparece hoje sobretudo como um sistema de retórica. Bacharéis de mente acesa, alastrando de literatura, e mesmo literatice, noções científicas vagamente aprendidas em Haeckel, Huxley ou Büchner. É difícil encontrar maior verbalismo do que, por exemplo, nos estudos em que Fausto Cardoso pretendeu consolidar cientificamente os fundamentos da sociologia por meio do monismo haeckeliano.

Toda essa onda vem quebrar n'*Os sertões*, típico exemplo da fusão, bem brasileira, de ciência mal digerida, ênfase oratória e intuições fulgurantes. Livro posto entre a literatura e a sociologia naturalista, *Os sertões* assinalam um fim e um começo: o fim do imperialismo literário, o começo da análise científica aplicada aos aspectos mais importantes da sociedade brasileira (no caso, as contradições contidas na diferença de cultura entre as regiões litorâneas e o interior).

A obra de Euclides da Cunha foi escrita num tempo em que já estavam bastante modificadas as condições de formação do nosso pensamento, com indícios vivos de superação da tirania jurídico-retórica. Mas, como vimos acima, a literatura se caracterizava, no início do século XX, por uma acentuada inconsciência desta transformação. Ajustava-se à superfície da vida burguesa, sem pressentir as novas exigências de sensibilidade e conhecimento, percebidas apenas por alguns.

Nesta ordem de considerações, o Modernismo representa um esforço brusco e feliz de reajustamento da cultura às condições sociais e ideológicas, que vinham, desde o fim da Monarquia, em lenta mudança, acelerada pelas fissuras que a Primeira Guerra Mundial abriu também aqui na estrutura social, econômica e política. A força do Modernismo reside na largueza com que se propôs encarar a nova situação, facilitando o desenvolvimento até então embrionário da sociologia, da história social, da etnografia, do folclore, da teoria educacional, da teoria política. Não é preciso lembrar a sincronia dos acontecimentos literários, políticos, educacionais, artísticos, para sugerir o poderoso impacto que os anos de 1920-1935 representam na sociedade e na ideologia do passado.

Mas, apesar da cultura intelectual se haver desenvolvido em ritmo acelerado desde o início do século; apesar da intensa divisão do trabalho intelectual, com o estabelecimento da vida científica, em escala apreciável; apesar do surto das ciências humanas a partir sobretudo de 1930; apesar de tudo isto, a literatura permaneceu em posição-chave. Vimos que alguns dos produtos mais excelentes dessa época no campo dos estudos sociais, como *Casa-grande & senzala*, *Sobrados e mucambos*, *Raízes do Brasil*, lhe são tributários, não apenas pelo estilo mas principalmente pelo ritmo da composição e a própria qualidade da interpretação. Por outro lado, o romance social e narrativo do decênio de 1930 segue a tradição naturalista de concorrência ao conhecimento científico; só que, neste caso, conhecimento mais sociológico e político, não obstante a ciência já haver, neste setor, alcançado e superado os recursos da ficção. Em todo o caso, os decênios de 1920 e de 1930 ficarão em nossa história intelectual como de harmoniosa convivência e troca de serviços entre literatura e estudos sociais.

Hoje, vemos que é necessário chamar Modernismo, no sentido amplo, ao movimento cultural brasileiro de entre as duas guerras, correspondente à fase em que a literatura, mantendo-se ainda muito larga no seu âmbito, coopera com os outros setores da vida intelectual no sentido da diferenciação das atribuições, de um lado; da criação de novos recursos expressivos e interpretativos, de outro.

A inteligência tomou finalmente consciência da presença das massas como elemento construtivo da sociedade; isto, não apenas pelo desenvolvimento de sugestões de ordem sociológica, folclórica, literária, mas sobretudo porque as novas condições da vida política e econômica pressupunham cada vez mais o advento das camadas populares. Pode-se dizer que houve um processo de convergência, segundo o qual a consciência popular amadurecia, ao mesmo tempo em que os intelectuais se iam tornando cientes dela. E este alargamento da inteligência em direção aos temas e problemas populares contribuiu poderosamente para criar condições de desenvolvimento das aspirações radicais, que tentariam orientar, dar forma, ou quando menos sentir a inquietação popular. O que se poderia, no melhor sentido, chamar de libertinagem espiritual do Modernismo contribuiu para o fermento de negação da ordem estabelecida, sem o qual não se desenvolvem a rebeldia social e o consequente radicalismo político. Aquilo que chamei o *V Narod* do decênio de 1930 apresenta, visto de hoje, uma configuração nitidamente renovadora, a despeito da atitude política e filosófica assumida ulteriormente pelos seus protagonistas. É preciso colocá-los no contexto daquele momento para compreender o sentido da sua ação. Um autor como Gilberto Freyre, que parece hoje um sociólogo conservador, significou então uma força poderosa de crítica social, com a desabusada liberdade das suas interpretações. A destruição dos tabus formais, a libertação do idioma literário, a paixão pelo dado folclórico, a busca do espírito popular, a irreverência como atitude: eis algumas contribuições do Modernismo que permitiriam a expressão simultânea da literatura *interessada*, do ensaio histórico-social, da poesia libertada.

Paralelamente, a ameaça aos valores tradicionais estimulou, no plano intelectual, manifestações que, embora tributárias em parte do Modernismo (como vimos), constituem sobretudo um prolongamento ou uma superação da linha espiritualista originada do Simbolismo e que hauriu no Modernismo alguns instrumentos formais, mas sobretudo o nacionalismo e a pesquisa do eu profundo. A poesia espiritualista, o romance de orientação *problemática*, o ensaio católico tradicionalista constituem modos, bastante diversos, e nem sempre ligados entre si, de reagir no sentido de uma preservação, ou reajustamento de valores sociais, políticos, ideológicos, ameaçados pelas manifestações modernistas. Diante da crise das velhas estruturas, e portanto dos valores tradicionais, a literatura reagiu com bastante sensibilidade — quer no sentido da reforma, contribuindo para a formação de uma atitude crítica, quer no da reação, intensificando o apelo daqueles valores.

Em nossos dias, estamos assistindo ao fim da literatura onívora, infiltrada como critério de valor nas várias atividades do pensamento. Assistimos, assim, ao fim da literatice tradicional, ou seja, da intromissão indevida da literatura; da literatura sem propósito. Em consequência, presenciamos também a formação de padrões literários mais puros, mais exigentes e voltados para a consideração de problemas estéticos, não mais sociais e históricos. É a maneira pela qual as letras reagiram à crescente divisão do trabalho intelectual, manifestado sobretudo no desenvolvimento das ciências da cultura, que vão permitindo elaborar, do país, um conhecimento especializado e que não reveste mais a forma literária.

Vista à luz da evolução literária, esta divisão do trabalho significa o aparecimento de um conflito no interior da literatura, na medida em que esta se vê atacada em campos que haviam sido até aqui (numas fases mais, noutras menos) seus campos preferenciais. Um Alencar ou um Domingos Olímpio eram, ao mesmo tempo, o Gilberto Freyre e o José Lins do Rego em seu tempo; a sua ficção adquiria significado de iniciação ao conhecimento da realidade do país. Mas hoje, os papéis sociais do romancista e do sociólogo já se diferenciaram, e a literatura deve retrair, se não a profundidade, certamente o âmbito da sua ambição. Daí as modernas tendências estetizantes aparecerem ao sociólogo e ao historiador da cultura como reação de defesa e ajustamento às novas condições da vida intelectual; uma delimitação de campo que, para o crítico, é principalmente uma tendência ao formalismo, e por vezes à gratuidade e ao solipsismo literário. Tanto para o crítico quanto para o estudioso da cultura e da sociedade, ela é, contudo, uma elaboração de novos meios expressivos e um desenvolvimento de nova consciência artesanal, que produzirão novas formas de expressão literária, mais ou menos ligadas à vida social, conforme os acontecimentos o solicitem.

Não há dúvida, porém, que o presente momento é de relativa perplexidade, manifestada pelo abuso de pesquisas formais, a queda na qualidade média da produção, a omissão da crítica militante. Se encararmos estes fatos de um ângulo sociológico, veremos que eles estão ligados — entre outras causas — à transformação do público e à transformação do grupo de escritores.

Vejamos o primeiro caso. Os analfabetos eram no Brasil, em 1890, cerca de 84%; em 1920 passaram a 75%; em 1940 eram 57%. A possibilidade de leitura aumentou, pois, consideravelmente. Muito mais, todavia, aumentou o número relativo de leitores, possibilitando a existência, sobretudo a partir de 1930, de numerosas casas editoras, que antes quase não existiam. Formaram-se então novos laços entre escritor e público, com uma tendência crescente para a redução dos laços que antes o prendiam aos grupos restritos de diletantes e "conhecedores". Mas este novo público, à medida que crescia, ia sendo rapidamente conquistado pelo grande desenvolvimento dos novos meios de comunicação. Viu-se então que no momento em que a literatura brasileira conseguia forjar uma certa tradição literária, criar um certo sistema expressivo que a ligava ao passado e abria caminhos para o futuro, — neste momento as tradições literárias começavam a não mais funcionar como estimulante. Com efeito, as formas escritas de expressão entravam em relativa crise, ante a concorrência de meios expressivos novos, ou novamente reequipados, para nós, — como o rádio, o cinema, o teatro atual, as histórias em quadrinhos. Antes que a consolidação da instrução permitisse consolidar a difusão da *literatura literária* (por assim dizer), estes veículos possibilitaram, graças à palavra oral, à imagem, ao som (que superam aquilo que no texto escrito são limitações para quem não se enquadrou numa certa tradição), que um número sempre maior de pessoas participasse de maneira mais fácil dessa cota de sonho e de emoção que garantia o prestígio tradicional do livro. E para quem não se enquadrou numa certa tradição, o livro apresenta limitações que aquelas vias superam, diminuindo a exigência de concentração espiritual.

O grupo de escritores, aumentado e mais claramente diferenciado do conjunto das atividades intelectuais, reage ou reagirá de maneira diversa em face deste estado de coisas: ou fornecerá ao público o "retalho de vida", próximo à reportagem jornalística e radiofônica, que permitirá então concorrer com os outros meios comunicativos e assegurar a função de escritor; ou se retrairá, procurando assegurá-la por meio de um exagero da sua dignidade, da sua singularidade, e visando ao público restrito dos conhecedores.] São dois perigos, e ambos se apresentam a cada passo nesta era de incertezas. O primeiro faria da literatura uma presa fácil da não literatura, subordinando-a a desígnios políticos, morais, propagandísticos em geral. O segundo, separá-la-ia da vida e seus problemas, a que sempre esteve ligada pelo seu passado, no Brasil. E a alternativa só se resolverá por uma redefinição das relações do escritor com o público, bem como por uma redefinição do papel específico do grupo de escritores em face dos novos valores de vida e de arte, que devem ser extraídos da substância do tempo presente.

A literatura na evolução
de uma comunidade

Se não existe literatura paulista, gaúcha ou pernambucana, há sem dúvida uma literatura brasileira manifestando-se de modo diferente nos diferentes estados. Neste artigo, não interessa, por isso mesmo, delimitar produções e autores segundo o critério estrito do nascimento, mas segundo o critério mais compreensivo e certo da participação na vida social e espiritual da cidade de São Paulo. Esta apresenta algumas características, e é compreensível que a sua influência marque literariamente os que nela vivem, de modo mais forte que as do lugar onde nasceram.

Com efeito, entendemos por literatura, neste contexto, fatos eminentemente associativos: obras e atitudes que exprimem certas relações dos homens entre si, e que, tomadas em conjunto, representam uma socialização dos seus impulsos íntimos. Toda *obra* é pessoal, única e insubstituível, na medida em que brota de uma confidência, um esforço de pensamento, um assomo de intuição, tornando-se uma "expressão". A *literatura*, porém, é coletiva, na medida em que requer uma certa comunhão de meios expressivos (a palavra, a imagem), e mobiliza afinidades profundas que congregam os homens de um lugar e de um momento, para chegar a uma "comunicação".

Assim, não há literatura enquanto não houver essa congregação espiritual e formal, manifestando-se por meio de homens pertencentes a um grupo (embora ideal), segundo um estilo (embora nem sempre tenham consciência dele); enquanto não houver um sistema de valores que enforme a sua produção e dê sentido à sua atividade; enquanto não houver outros homens (um público) aptos a criar ressonância a uma e outra; enquanto, finalmente, não se estabelecer a continuidade (uma transmissão e uma herança), que signifique a integridade do espírito criador na dimensão do tempo.]

Segundo este critério, só há literatura em São Paulo depois da Independência, e notadamente depois da Faculdade de Direito. Mas antes, na segunda metade do século XVIII, já se esboçavam aquelas condições. Manifestações literárias, — que é coisa diferente, — isto houve desde os autos e poemas de José de Anchieta.

Nem podia ser de outra maneira. Que meio seria o paulistano, para permitir a atividade intelectual? No século XVIII, quando os costumes principiam a civilizar-se, sabemos que não havia por aqui homens de letras senão os clérigos, e um ou outro civil. Grandes paulistas como Alexandre de Gusmão, Teresa Margarida, Matias Aires, Lacerda e Almeida são na verdade portugueses pela inteligência, não chegando a contribuir diretamente para as luzes da pátria. O ambiente era culturalmente tão pobre, que em 1801 o governador Antônio Manuel de Melo Castro e Mendonça oficiava do seguinte modo ao agitado d. Rodrigo de Sousa Coutinho, dando conta dos resultados da sua política cultural:

Recebi o Avizo nº 19 de 6 de agosto de 1800, e com elle a relação de alguns Impressos com a importância de 165$780 rs. cujos Impressos já chegarão a esta Capitania; mais como nella há tanta falta de compradores, quanta é a negligência, e descuido q' tem havido em se cultivar as Artes e as sciencias não há qm.

se anime a comprar hum só livro, de maneira que muitos dos que se tem espalhado, tem sido dados por mim etc.[1]

As letras compareciam de maneira oficial, em sentido puramente comemorativo, como verso e prosa de circunstância, nas solenidades públicas. Artur Mota cita um manuscrito pertencente a Ian de Almeida Prado, onde se compendia a parte literária das solenidades em homenagem a Sant'Ana, por ordem do Morgado de Mateus no ano de 1770 — a cargo de clérigos e professores na maior parte.[2] De que maneira o poder público incorporava a literatura, geralmente pífia, às suas comemorações, podemos ver, por exemplo, no ofício do governador Franca e Horta, datado de 10 de março de 1808, "Pa. os Professores de Philozofia, Retorica e Gramatica", no ensejo da chegada da Família Real:

No detalhe das Festas, — q' se vão apromptar pa. festejarmos a feliz chegada de S. A. R., e de sua Augusta Família a Capital do Ro. de Janro. está determinado, q' nas tres noites de Encamizadas, q' hão de fazer os Cavalleiros Milicianos e nas tres noites de fogos dados pelo Corpo do Negocio, os Estudantes de todas as classes darão hum Carro de Parnazo com Oiteiro em q' se repitão, e fação obras aluzivas a tão sublime assumpto: o q' participo a V. Mces. não só pa. q. assim o fação saber aos seus respectivos alunos, mas tão bem pa. os derigirem não só em o do. festejo mas tão bem nas mmas. Compuzições Poeticas afim de poderem ser todas aplaudidas pelo Povo. Não devo recommendar-lhes a Importancia desta Matteria, pr. q' conto com as suas vontades, ainda mais amplas q' os meus desejos.[3]

---

1 *Documentos interessantes para servir à história e costumes de S. Paulo*, v. XXX, 1899, p. 37.   2 *História da literatura brasileira*, 2 v. São Paulo: Companhia Editora Nacional, 1930, v. II, pp. 29-31.   3 *Documentos interessantes para servir à história e costumes de S. Paulo*, v. LVII, 1937, pp. 255-256.

Outra via de manifestação literária seriam as verrinas contra o governo. Em Minas, — onde a vida urbana bastante intensa permitiu floração brusca e magnífica nas artes — elas eram de qualidade invulgar, haja vista as *Cartas chilenas*. Seriam bem menos polidas as de São Paulo, como as que escarneciam o Morgado de Mateus em 1767, "chamando-me de destruhidor do Povo [...] carreiro [...] fidalgo de aldeya, e de meya tigela, e outros improperios indignos".[4] E que proliferavam também nas vilas, como se vê pela repreensão de Franca e Horta ao Juiz Ordinário de Cananeia, em 1804, por não haver providenciado contra os que lá se afixaram.[5]

Fora daí, as letras existiriam como atividade privada de um ou outro homem culto, — frade bento, vigário, mestre régio, magistrado, — não dando lugar a relações intelectuais capazes de caracterizar uma literatura, de acordo com o critério acima proposto.

* * *

[Este estudo pretende sugerir o papel das formas de sociabilidade intelectual, e da sua relação com a sociedade, na caracterização das diferentes etapas da literatura brasileira em São Paulo. Escolhendo um ângulo de visão — o sociológico — tentará reconhecer no seu processo evolutivo cinco momentos, socialmente condicionados, desde estes primórdios toscos até a atividade intensa dos nossos dias. Trata-se, para isto, de analisar rapidamente os tipos de associação entre escritores, os valores específicos que os norteiam e a sua posição em face dos valores gerais e da organização da sociedade. Não é uma interpretação estética, portanto, nem se deseja apresentá-la como única, pois é de alcance voluntariamente delimitado. Parece, todavia, que não há outra mais adequada para esclarecer a ligação orgânica entre produção literária e vida social.]

4 Ibid., v. XXIII, 1897, p. 187.   5 Ibid., v. LVI, 1937, p. 69.

1. Um grupo virtual

O primeiro agrupamento de escritores eminentes participando de valores comuns, procurando construir uma obra em torno deles e agindo em função de um estímulo recíproco, parece haver-se esboçado no intercâmbio e na produção de Pedro Taques de Almeida Paes Leme, na do seu parente frei Gaspar da Madre de Deus e na de Cláudio Manuel da Costa. Os dois primeiros eram amigos, comunicavam-se nos estudos, valiam-se em mais de um transe. A circunstância que os aproximou do terceiro, nascido em Minas, onde viveu, foi a Academia Brasílica dos Renascidos, da qual foram acadêmicos supranumerários Cláudio e frei Gaspar, e que, da sua sede baiana, deitou laços de congregação sobre outras capitanias, num primeiro arremedo de consciência literária comum. O paulista e o mineiro talvez nunca se tenham visto, e não restou correspondência escrita de um a outro. Entre ambos, porém, forma elemento de ligação Pedro Taques e, mais ainda, como veremos, o sentimento comum de paulistanismo à busca de expressão intelectual.

Na resposta à comunicação de que fora eleito para os Renascidos, e aceitando a incumbência de escrever a história do Bispado de São Paulo, pondera frei Gaspar:

> Se o Sargento-mor Pedro Taques de Almeida Paes, natural daquela cidade e nela morador, fosse nosso sócio, ajudar-me-ia muito, ainda mais que escreveu as Memórias para a História Secular da dita Capitania [...].[6]

O nome do linhagista andou, portanto, nas cogitações da Academia, e decerto teria sido eleito se ela não acabasse tão depressa.

6 Alberto Lamego, *A Academia Brasílica dos Renascidos*. Paris; Bruxelas: Gaudio, 1923, p. 109.

Assim, Cláudio, frei Gaspar e Taques estiveram congregados espiritualmente a certa altura, além de terem mantido, a seguir, um intercâmbio que podemos inferir por vários motivos. No "Fundamento histórico" do seu poema *Vila Rica* (terminado depois de 1770), diz Cláudio:

> O sargento-mor Pedro Taques de Almeida Paes Leme, natural [...] da cidade de São Paulo, e ali morador, de estimável engenho e de completo merecimento, remeteu ao autor desde aquela cidade todos os documentos que conduziram ao bom discernimento desta obra [...].[7]

Esta relação é da maior importância, pois estes três homens foram os primeiros a dar expressão intelectual coerente ao sentimento localista dos naturais de São Paulo, e não apenas tiveram consciência disso, mas colaboraram neste sentido em alguns casos.

Antes de entrar em contato com os outros, Cláudio já se manifestara ufano da tradição paulista em 1759, nos "Apontamentos para se unir ao cathalogo dos academicos da Academia Brazilica dos Renascidos", que Lamego divulgou, e cujo manuscrito se encontra na Biblioteca Central da Faculdade de Filosofia da Universidade de São Paulo. Declinando a filiação, é flagrante a diferença de importância que atribui à linhagem paterna e à linhagem materna:

> *Seus avós por parte paterna:* Antonio Gonçalves e Antonia Fernandez, moradores que forão no lugar das Arêas, Freguezia de S. Mamede das Talhadas, Bispado de Coimbra. *Pela parte materna:* O capitão Francisco de Barros Freire e D. Izabel Rodrigues de

7 *Obras poéticas*, 2v. Org. de João Ribeiro. Rio de Janeiro: Garnier, 1903, v. II, p. 152.

Alvarenga, moradores que foram na Freguezia de N. S. de Guarapiranga, Comarca do Ribeirão do Carmo, hoje cidade de Marianna, vindos de S. Paulo onde tem a sua ascendencia de Familias mui distinctas.[8]

Esta prosápia o liga a Pedro Taques e a frei Gaspar, e ele a exprime poeticamente no poema épico *Vila Rica*, sugerido talvez pela epopeia perdida de Diogo Grasson Tinoco em louvor a Fernão Dias. Encarando em conjunto as obras dos três homens, veremos que elas representam a elaboração de um sistema de valores, difusos na sociedade paulista e reforçados tanto pelo conflito com os emboabas quanto pelo encerramento do ciclo bandeirante. Figuremos essa sociedade limitada na sua expansão geográfica, privada da riqueza efêmera das minas, sangrada de certo modo pela dispersão de muitos dos seus filhos, obrigada a buscar novo amparo na agricultura sedentária. Figuremo-la, ainda, já estruturada por um sistema estável de vilas e freguesias, e, na cidade capital, com certo desenvolvimento da civilização. A consciência heroica do passado, emergindo do sentimento nativista, aparece como recurso de integração; como justificação de uma sociedade em crise de reajustamento das suas atividades. Daí o recurso à história, por meio da qual se cristaliza a tradição, projetando no plano ideológico os valores grupais, que deste modo se organizam.

Este processo se manifesta pela criação de uma consciência de estirpe, na *Nobiliarquia*, de Pedro Taques; pela definição de uma sequência histórica, nas *Memórias*, de frei Gaspar; pela transfiguração épica, no *Vila Rica*, de Cláudio Manuel.

Debruçados sobre o passado da terra, os três homens procuram traçar a sua projeção no tempo, irmanados pelo sentimento de orgulho ancestral e a consciência de dar estilo aos

---

8 Alberto Lamego, op. cit., p. 101.

duros trabalhos que plasmaram metade do Brasil. A verdade e a fantasia irmanam-se igualmente no seu labor, e dele sairá a primeira visão intelectual coerente da grande empresa bandeirante.

Contrariando as informações dos jesuítas, e de vários reinóis, acentuam a lealdade, a magnanimidade, a nobreza dos aventureiros de Piratininga, traçando-lhes o perfil convencional que passou à posteridade.

Vê os Pires, Camargos e Pedrosos,
Alvarengas, Godóis, Cabrais, Cardosos,
Lemos, Toledos, Pais, Guerras, Furtados,
E os outros, que primeiro assinalados
Se fizeram no arrojo das conquistas,
Ó sempre grandes, ó imortais Paulistas!

brada Cláudio Manuel em versos que parecem transpostos da *Nobiliarquia*; Cláudio, cujo amor tão vivo à sua terra mineira fundava-se na consciência de ser ela devida ao esforço do bandeirismo:

Dos meus Paulistas honrarei a fama.
Eles a fome e sede vão sofrendo,
Rotos e nus os corpos vêm trazendo,
Na enfermidade a cura lhes falece,
E a miséria por tudo se conhece;
Em seu zelo outro espírito não obra
Mais que o amor do seu rei: isto lhes sobra.

Pedro Taques, do seu lado, dourava e redourava linhagens, procurando ajeitar às convenções europeias o destino mameluco e americano desse povo errante, guindando os "modestos fidalgotes portugueses companheiros da travessia aventurosa de Martim Afonso de Sousa" (Taunay).

Nesta ordem de ideias, mencionemos a valorização do antepassado vermelho, feita pelos três à maneira do que faziam, para Pernambuco e Bahia, Jaboatão e Borges da Fonseca.

Afirmar o Autor, que da mistura do sangue saiu uma geração perversa, é supor que o sangue dos índios influiu para a maldade, suposição que muito desonra, senão a crença, ao menos o juízo de um sábio católico: porquanto nem a Divina Graça perde a sua eficácia, nem a natureza se perverte, ou a malícia adquire maiores forças, quando o sangue europeu se ajunta com o brasílico. Pelo contrário, a experiência sempre mostrou, que os indivíduos nascidos desta união, reluzem aquelas belas qualidades, que caracterizam em geral o indígena do Brasil.[9]

Nesta excelente refutação a Charlevoix, frei Gaspar lança as bases de um argumento que será por excelência romântico. Dando um passo a mais, Pedro Taques aristocratiza as Bartiras criadeiras do planalto, promovendo-as a "princesas do sangue brasílico" e fazendo grande cabedal da sua ancestralidade. Cláudio, recorrendo largamente ao índio para o maravilhoso e o romanesco do seu poema, culmina traçando amores ideais entre Garcia Paes e uma silvícola,

tão mimosa,
Que à vista sua desmaiava a rosa.

Vê-se, pois, que o "paulistanismo" aparece ideologicamente configurado, norteando as obras desses três escritores e nutrindo as suas relações, além de adquirir nelas as tonalidades características, que serviriam para definir a consciência do

9 Frei Gaspar da Madre de Deus, *Memórias para a história da capitania de São Vicente*. 3. ed. São Paulo: Melhoramentos, 1920, p. 230.

paulista moderno, e que operariam como poderosa arma de sentimento de classe, de um lado, e assimilação dos forasteiros, de outro.

2. Um grupo real

Depois desse momento inicial, uma ou outra manifestação literária em São Paulo, ou de paulista — inclusive José Bonifácio, o poeta Américo Elísio — nada trazem de novo para o nosso ponto de vista. Por volta de 1830 é que vamos encontrar uma segunda congregação de homens, valores e ideias, em torno da *Revista da Sociedade Filomática*, de importância apreciável em nosso Pré-Romantismo, como assinalou José Aderaldo Castelo.

Aqui, não se trata de personalidades tão eminentes quanto as dos três anteriores, nem a sua obra escassa possui o mesmo relevo que a deles. Trata-se, porém, de um agrupamento efetivo, não mais virtual, além de exercer sobre os grupos sucessores uma influência direta, como não aconteceu com a dos outros. O seu fator foi a criação da Faculdade de Direito (1827), que desempenharia papel decisivo na literatura em São Paulo.

Num estudo sugestivo, A. Almeida Júnior define com acerto e precisão o verdadeiro caráter da Academia de São Paulo — menos uma escola de juristas do que um ambiente, um meio plasmador da mentalidade das nossas elites do século passado. Bastante deficiente do ponto de vista didático e científico, foi não obstante o ponto de encontro de quantos se interessavam pelas coisas do espírito e da vida pública, vinculando-os numa solidariedade de grupo, fornecendo-lhes elementos para elaborar a sua visão do país, dos homens e do pensamento.[10]

10 "O convívio acadêmico e a formação da nacionalidade brasileira", *Revista da Faculdade de Direito*, São Paulo, v. XLVII, 1952, pp. 271-292.

Interessa-nos aqui, justamente, apontar algumas manifestações desse espírito de grupo na literatura; mostrar como a convivência acadêmica propiciou em São Paulo a formação de agrupamentos, caracterizados por ideias estéticas, manifestações literárias e atitudes, dando lugar a expressões originais.

A Sociedade Filomática, fundada em 1833, reuniu alunos e jovens professores, entre os quais Francisco Bernardino Ribeiro, Justiniano José da Rocha, Francisco Pinheiro Guimarães, Antônio Augusto Queiroga, José Salomé Queiroga, nenhum dos quais nascido em São Paulo (eram cariocas os três primeiros, mineiros os dois últimos). Publicaram seis números de uma revista, esboçaram uma atitude bastante ambivalente de reforma anticlássica, promoveram reuniões e representações — agitaram, numa palavra, a pequena cidade de então, estabelecendo nela a literatura como atividade permanente, por meio do seu corpo estudantil. Quanto mais não fosse, este feito bastaria para consagrá-los, a despeito da pobreza quantitativa e qualitativa da sua produção. Há mais, todavia: desse agrupamento de amigos, tomados pelo entusiasmo da construção literária (que foi no Brasil a mola patriótica do Romantismo, a sua motivação consciente), surgiria, como breve fogacho, um poema que iria iluminar a posterior evolução das letras em São Paulo e abrir caminho para uma das suas mais típicas manifestações. O caso foi que em 1837 falecia Francisco Bernardino, aos 23 anos, já lente da Faculdade, guia da Filomática, grande esperança do tempo. O moço jurista protegia e orientava nos estudos um conterrâneo, Firmino Rodrigues Silva, já no fim do curso, e que podemos considerar rebento, primeiro produto do mencionado grupo literário. A amizade entre ambos era grande, e o mais moço nutria pelo mentor uma exaltada admiração. Morto este, a dor inspirou-lhe alguns belos poemas (quase os únicos que fez), entre os quais, e sobretudo, a famosa "Nênia".

Nela, o sentimento de amizade se exprimia de um modo já próximo às tonalidades românticas. Ao lamento se incorpora uma figura simbólica de índia — alegoria do Rio de Janeiro — que formula, pela primeira vez no Brasil, certos torneios indianistas, como seriam desenvolvidos na obra de Gonçalves Dias:

Tupá, Tupá, oh numen de meus pais!

Álvares de Azevedo, José de Alencar, Paulo do Vale, Sílvio Romero, Paranapiacaba — todos consideram-na o início da "escola brasileira". Nela se entronca o Indianismo inicial, em São Paulo, que em seguida recebeu o influxo decisivo e dominador de Gonçalves Dias. Em 1844, três anos antes dos *Primeiros cantos*, temos aqui "Cântico do tupi", "Imprecação do índio", "Prisioneiro índio", do futuro barão de Paranapiacaba (natural de Santos), prefigurando o tom gonçalvino. Poetas menores da Faculdade de Direito ligaram-se à mesma tradição, como Antônio Lopes de Oliveira Araújo, autor do belo "Gemido do índio" (1850).

Quando a obra do maranhense dominou o meio literário, dando a impressão de que, afinal, havia poesia brasileira, o terreno já estava preparado em São Paulo, graças a Firmino. Também o ambiente criado pela Filomática não se dissolveria mais, e, extremamente receptivo, iria ficando daí por diante cada vez mais denso, — associações sucedendo a associações, revistas a revistas, até criar aquela saturação rompida pelo advento das correntes parnasianas e naturalistas.

3. O grupo se justapõe à comunidade

A partir dessa etapa preliminar, em que os estudantes se articulam e adquirem consciência do seu estado, forma-se o que se poderia chamar a sua sociabilidade específica. Mesmo antes de 1840 eles já aparecem como grupo diferenciado na pequena cidade de então (12 a 15 mil habitantes); a partir mais ou menos daquele ano, firma-se nitidamente o processo de elaboração de uma expressão própria desse grupo. Imaginemos o estado de coisas àquela altura na capital sossegada e provinciana, que um acadêmico irreverente definia assim: "Depois, o povo paulista tem o mesmo tipo: é monótono por excelência. Chilenas, banguês, burros, padres, capas, mantilhas, lama, caipiras (machos e fêmeas) eis o que encontrava Genesco".[11] Os padrões sociais previam o comportamento de sitiantes, proprietários, comerciantes, advogados, magistrados, funcionários, deputados — isto é, daquilo que os rapazes seriam depois do curso, depois de casados, compadres, pais de família, liberais ou conservadores, almoçando às oito, jantando às três, ceando às sete, dormindo às nove. Mas que padrões se ajustariam ao comportamento de dezenas e logo centenas de moços de gravata lavada, ocupados em atividades tão fora do esquadro? No flanco da comunidade paulistana cresceu e se firmou, com características próprias, o grupo diferenciado de acadêmicos.

Na idade em que estavam, de passagem da adolescência à maturidade, quase todos longe das famílias, socialmente colocados aquém da vida prática, nutridos de ideias e princípios diferentes dos que norteavam os paulistanos, é natural que desenvolvessem tipos excepcionais de comportamento. Antes, tinham sido meninos de família, como os outros; depois, seriam letrados, políticos e proprietários, como os outros. No breve curso da Academia, porém, eram algo diferente. Tanto mais diferentes, quanto os haviam concentrado na pequena e pacata São Paulo, que não possuía estrutura social constituída de modo a englobá-los.

11 Teodomiro Alves Santiago, *Genesco: romance de costumes acadêmicos*, 2 v. 2. ed. Rio de Janeiro, 1866, v. 2, p. 16.

Desse caráter de exceção nutriu-se a sua sociabilidade peculiar, definida por determinados tipos de comportamento, determinada consciência corporativa, e, finalmente, uma expressão intelectual própria.

A sua localização histórica é reconhecível pelo apogeu das manifestações características, que podemos delimitar, de um lado, pela fundação da Sociedade Epicureia (1845); de outro, pela estadia de Castro Alves (1868). A partir de 1870 a convivência acadêmica se vai alterando. O crescimento rápido da cidade, a diferenciação crescente das funções, modificaram pouco a pouco o sistema de relações entre os dois grupos — o de estudantes e a comunidade. Aquele foi perdendo o relevo próprio, encontrando vias cada vez mais numerosas de conexão com esta, dissolvendo-se na vida comum. Em consequência, perdeu a sua gloriosa exceção, embora não a sua importância.

Na fase que nos interessa, portanto, o "corpo acadêmico" se define sociologicamente como um segmento diferenciado na estrutura da cidade, à qual por enquanto se justapõe, sem propriamente incorporar-se, caracterizando-se pela formação de uma consciência grupal própria. A boêmia e a literatura constituem a manifestação mais tangível desta, configurando o tipo clássico do estudante paulistano, exprimindo o seu éthos peculiar. É verdade que sempre houve numerosos rapazes alheios à vida acadêmica, tendendo por isto a integrar-se nos outros agrupamentos da comunidade e aproximando-se dos seus padrões. Eram os que decoravam o compêndio, cortejavam bons partidos, agradavam os figurões — antecipando-se à vida. Mas o fato é que os momentos de crise tornavam patente o elevado grau de coesão estudantil, como foi o caso, em 1843, das assuadas ao presidente Joaquim José Luís de Sousa, quando a prisão de dois rapazes levou grande parte dos colegas a se constituírem prisioneiros em solidariedade.[12] E mais ainda no chamado "conflito dos cadetes" (1854), em que houve um morto e a cidade se pôs em pé de guerra, acabando tudo com a remoção do batalhão do Exército envolvido nas ocorrências. Nessa ocasião, toda a Academia saiu a campo, a despeito da situação dramática, reagindo coesa, exigindo e obtendo desagravos aos seus brios, que reputara ofendidos.[13]

Esta situação criava tensões frequentes entre os estudantes e a comunidade, e não há melhor prova da estrutura dual que era então a de São Paulo do que o seu reconhecimento tácito pela administração, nomeando em 1851 e mantendo por longos anos no cargo de delegado de polícia um lente da Faculdade, o conselheiro Furtado, que nesta qualidade servia de ponte entre a população e o grupo estudantil.

Além das estudantadas e da boêmia, a sociabilidade acadêmica se manifestava de modo mais estruturado nas "repúblicas", agremiações literárias, jornais e revistas.

Há em São Paulo uma reunião original, vivendo louca, caprichosa e interessante, que tem uma crônica importantíssima, mas que varia tanto, como o caráter de seus protagonistas.

Não sabemos que mente de poeta, ou de socialista observador, batizou essa reunião sob o nome simpático de República.

Três ou quatro rapazes reúnem-se, pactuam e vão viver na mesma casa, fazendo em comum as despesas do alimento, do aluguel etc. Eis a República proclamada.[14]

Estruturadas pelo princípio da origem comum (taubateanos, mineiros, fluminenses) ou do interesse comum (troça,

12 Almeida Nogueira, *Tradições e reminiscências da Academia de São Paulo*, 9 v. São Paulo, 1907-1912, v. 2, 1907, pp. 66-93.   13 Ibid., v. 9, 1912, pp. 75-91.
14 *Genesco: romance de costumes acadêmicos*, op. cit., v. I, p. 75.

literatura, estudo), elas eram a unidade básica da vida estudantil. Unidades não apenas de pouso, mas de recreio e atividade intelectual. Nelas se originaram muitos escritos, muitos projetos literários. Pelos fins do decênio de 1840, nelas se reuniam para improvisar bestialógicos em prosa e verso (gênero da mais alta importância, cujas produções se dispersaram infelizmente quase todas) João Cardoso de Menezes, Silveira de Sousa, José Bonifácio, o moço, Aureliano Lessa, Bernardo Guimarães — autor do estupendo soneto:

Eu vi dos polos o gigante alado...

Das repúblicas a sociabilidade literária se expandia pelos grêmios, inaugurados pela Filomática: o Ensaio Filosófico, 1850; o Ateneu Paulistano, 1852; a Associação Culto à Ciência, 1857 (de preparatorianos); o Instituto Acadêmico, 1858; o Clube Literário, o Instituto Científico. Merece lugar à parte a Epicureia (1845), espécie de ponto de encontro entre a literatura e a vida onde os jovens procuraram dar realidade às suas imaginações românticas. Foi uma experiência do maior significado para definir o que houve de mais característico no Romantismo paulistano, na qual o exemplo conscientemente seguido dos personagens de Byron e Musset foi entroncar-se inconscientemente na tradição do marquês de Sade.

Algumas dessas associações tiveram o seu periódico, destacando-se os famosos *Revista Mensal do Ensaio Filosófico Paulistano* e *Ensaios Literários do Ateneu Paulistano*. E houve jornais, como o *Acaiaba* (1851), *O Guianá* (1856) (cujos nomes indicam a tendência), *A Academia* (1856), *Iris* (1857).[15]

15 Apud Couto de Magalhães, artigo na *Revista Acadêmica*, n. 4, 1859, transcrito como introdução a Paulo Vale, *Parnaso Acadêmico Paulistano*. São Paulo: Tip. do Correio Paulistano, 1881.

Concluindo, registremos, do ponto de vista que nos interessa, o caráter complexo e multifuncional do grupo estudantino, no que se refere à literatura.

Note-se, com efeito, que ele constituía um meio estimulante para a produção literária, seja envolvendo o estudante numa atmosfera de exceção, seja integrando-o num sistema de relações em que a atitude literária predominava. Muita gente, que pela vida afora nunca mais ia abrir um livro de ficção ou de poesia, era desta maneira conduzida a pagar o seu tributo, contribuindo para o patrimônio do grupo com produções as mais das vezes sem maior significado estético.

Mais ainda: era um sistema de intercâmbio literário, garantindo o curso das produções, seja por escrito, seja nas frequentes sessões de grêmio, seja nos recitativos, discursos e debates de república ou tertúlia. Era uma bolsa de livros, trocados, emprestados, *filados* — circulando de qualquer forma, na falta de bibliotecas e livrarias. Lembremos a importância decisiva que teve na formação de José de Alencar o fato de morar na República de um amigo de Francisco Otaviano — cujos livros pôde assim devorar, familiarizando-se com a literatura francesa, sobretudo Balzac. Conheço uma coleção encadernada dos *Ensaios literários*, em cuja primeira página se lê, numa letrinha corrente e amarelecida: "Foi arranjado com muito custo e por isso é infilável por sua natureza". Nada mais significativo das formas estudantis de circulação bibliográfica...

Além disso, as repúblicas constituíam o público, — elemento básico no funcionamento e na continuidade da literatura. No século passado, os estudantes de São Paulo tiveram este privilégio pouco vulgar no Brasil de então: saída certa para a sua atividade intelectual. Imagine-se o estímulo que decorria, devido à ressonância entre os colegas, espécie de auditório ou conjunto permanente de leitores, cuja opinião formava pedestal para a evidência das obras na comunidade e eventualmente no país.

Finalmente,[o corpo estudantil fornecia a crítica, a sistema-tização das apreciações impressionistas, a tentativa de inter-pretar o significado das obras. Nas revistas e nos jornaizinhos, censores e apologistas ombreavam com poetas e prosadores.] Alguns, da melhor e mais promissora qualidade, como Álva-res de Azevedo e Antônio Joaquim de Macedo Soares — este, um embrião de grande crítico, sem dúvida superior aos que então pontificavam. Dedicando grande interesse à análise dos trabalhos de acadêmicos e ex-acadêmicos, ele enriquece as coleções da *Revista Mensal*, dos *Ensaios* e, no Rio, da *Revista Popular*, com um juízo agudo e equilibrado, que é pena tenha sido desviado em seguida para outros setores.

Estas considerações nada significam, todavia, se não lhes juntarmos uma última, a saber, que o Romantismo facilitou a constituição autárquica do corpo acadêmico, fornecendo-lhe uma ideologia adequada, pelas três vias em que se manifes-tou aqui: nacionalismo indianista, sentimentalismo ultrarro-mântico, satanismo. O primeiro, menos que os outros; o ter-ceiro, mais do que todos.

Depois da publicação das poesias de Gonçalves Dias, o regato brotado na fonte de "Nênia", de Firmino, alargou-se numa torrente imperiosa, a cujo fio se deixaram ir muitos dos jovens. O *Acaiaba*, redigido por Couto de Magalhães, depois *O Guianá*, votaram-se ao Indianismo, que alastrou também pelas outras revistas, em poesia e crítica. Reconhe-cido por todos como fundador da poesia brasileira, Gonçal-ves Dias era por alguns considerado o modelo necessário. Dentro dos critérios de nacionalismo estético, imperantes em nosso Romantismo, julgou-se o valor dos poetas pela pre-sença ou ausência, na sua obra, do pitoresco nacional, mor-mente o indígena. Álvares de Azevedo, embora admirado, era tido por muitos como pouco, ou não brasileiro, poeticamente. "Manuel Álvares de Azevedo pouco e muito pouco tem de brasileiro: apontaremos só a *Canção do sertanejo*", escrevem dois estudantes.[16] "As suas poesias, embelezadas nos perfumes da escola byroniana" — diz outro —

> não foram inspiradas ao fogo de nossos lares. As harmonias do nosso céu, os perfumes de nossa terra não ofereciam àquela alma ardente, senão um espetáculo quase sem vida; eram maravilhas por assim dizer murchas, ante as quais o poeta não se inclinava.[17]

Pode-se ver a que ponto chegou a obsessão indianista dos estudantes de então por esta primeira estrofe de *O canto de Ibitinga*, de L. B. Castilho:

> Deixei taba adornada de crânios,
> Meus djicks, meu forte cuang,
> Deixei inis aonde embalava
> Meus amores mais doces que o pang.

E o mocinho explica em notas, complacentemente, que *djick* é flecha, *cuang* é arco, *inis* é rede, *pang* é mel...[18]

O Indianismo chegou pois a adquirir aspectos característicos na atmosfera acadêmica. Não obstante, era linguagem de maior comunicabilidade, ligando os estudantes ao nacionalismo — que se manifestou em São Paulo de forma ainda mais geral, na celebração constante do Ipiranga, tema localista correspondente ao que foram o Dois de Julho, na Bahia, a Guerra Holandesa, em Pernambuco, a Inconfidência, em Minas.

---

16 M. Nascimento Fonseca Galvão e L. R. Peres Moreno, "Parecer", *Revista do Ensaio Filosófico Paulistano*, 7ª série, n. 2, p. 19. **17** A. Correia de Oliveira, "Fragmento de um escrito — III — A poesia", *Revista do Instituto Científico*, 2ª série, n. 2, 1863, p. 41. **18** *Ensaios literários do Ateneu Paulistano*, n. 4-5-6, 1853, p. 99.

Igualmente acessível ao gosto comum foi o sentimentalismo ultrarromântico, — a idealização amorosa, a pieguice, a melancolia, vazadas em ritmos melodiosos e fáceis, desenvolvidos sob a inspiração direta dos portugueses. Constitui a maioria da produção estudantina do tempo, e bem se compreende a importância que teve para definir a ideologia do grupo, graças à sua insistência no poeta solitário, incompreendido, infeliz, separado por um abismo da comunidade dos homens comuns. Era uma solução para exprimir a posição autárquica do estudante, confirmando-o na sua singularidade, na sua *diferença*.

> Ide, minhas canções, voai aos ermos,
> Filhas da solidão, voltai a ela!
>
> (B. Guimarães)

Em face do burguês que lhe esconde a filha e resmunga com as suas tropelias, o moço se define como alma de escol, incompreendida do mundo, fadada à infelicidade. Abundam nas revistas de então as diatribes contra a hipocrisia, a corrupção, a dureza da sociedade — saídas por vezes da pena de algum salteador noturno de galinheiros, ou comparsa de pândegas inconfessáveis. Em face da comunidade estática, o grupo trepidante de moços encontra na atitude romântica uma solução ideal para exprimir a sua diferenciação.

Foi, contudo, o satanismo que constituiu a manifestação mais típica dessa singularidade do poeta-estudante nos meados do século, fornecendo uma ideologia de revolta espiritual, de negação dos valores comuns, de desenfreado egotismo. Foi ele o ingrediente principal das lendas joviais e turvas que envolvem a vida acadêmica de São Paulo numa atmosfera de desvario. A melancolia, o humor negro, o sarcasmo, o gosto da morte traçam à roda do grupo estudantil um círculo de isolamento que acentua, para o observador, o seu caráter de exceção na sociedade ambiente. É a típica tonalidade paulistana, difundida por todo o país, contribuição original desta cidade ao Romantismo brasileiro, ligada à pessoa e à obra de Álvares de Azevedo — principalmente o *Macário* e *Noite na taverna*.

Aureliano Lessa, Bernardo Guimarães e ele encarnam este momento da nossa literatura — sólida trinca de amigos que fascinou muitas gerações de acadêmicos-literatos. E realmente participaram de tal modo dos padrões excepcionais do seu grupo, que não se acomodaram fora dele: Manuel Antônio morreu antes de deixá-lo; Aureliano jamais conseguiu escapar ao seu influxo, a ponto de morrer de bêbado, inadaptado integral à vida; Bernardo deixou a poesia (pelo menos a verdadeira), buscando outro rumo no romance, e na vida foi sempre um inadaptado pouco melhor que o seu infeliz e fraternal amigo.

Com esta corrente, o grupo da Academia atingiu o ponto mais alto da diferenciação e forjou a sua expressão mais característica. Não era possível ir mais longe sem a ruptura total com a sociedade ambiente. E de fato não foi. As "exagerações" da sua poesia não cessam de ser apontadas nos jornaizinhos, e o grupo acadêmico, apesar do fascínio exercido pela lembrança do satanismo, irá pouco a pouco descobrindo conexões que possibilitem a sua integração na comunidade. Varela, que veio pouco depois refazer na vida, e um pouco na poesia, o caminho da famosa tríade, já não passaria de um continuador. Castro Alves dará o sinal da mudança deslocando os rapazes da sua autarquia para a vasta comunhão dos problemas sociais. E o grupo, crescido como floração estranha no flanco da pequena cidade, integrar-se-á lentamente na vida da grande cidade que desponta.

4. A comunidade absorve o grupo

O terceiro momento que pretendemos fixar situa-se na passagem do século XIX: entre 1890 e 1910, digamos sem maior preocupação cronológica.

A cidade é outra. Tem 70 mil habitantes naquela data; 240 mil nesta. É um importante centro ferroviário, comercial, político, onde a indústria se esboça. A população mudou radicalmente. Não há mais escravos, os caipiras vão sumindo, chegaram magotes de italianos, espanhóis, portugueses, alemães. Há uma diferenciação social muito mais acentuada, quer no sentido horizontal do aparecimento de novos grupos, e alargamento dos que havia, quer no vertical, em que as camadas se superpõem de modo diverso, recompostas quanto ao número, à composição, aos padrões de comportamento. A Faculdade de Direito é importante, mas já surgiram ou vão surgir outros institutos de ensino superior, e o novo perfil da estrutura social e demográfica não favorece mais a sua posição excepcional. É um segmento integrado, ao lado de outros. A literatura já não depende mais dos estudantes para sobreviver, nem eles precisam mais da literatura como expressão sua, para equilibrar-se na sociedade. No lapso corrido desde o decênio transformador de 1870, deu-se um processo decisivo: a literatura é absorvida pela comunidade — antes impermeável a ela — e deixa de ser manifestação encerrada no âmbito de um grupo multifuncional, ao mesmo tempo produtor e consumidor. Formou-se um público, e se não a profissão de escritor (cuja primeira associação se esboça aqui pouco antes de 1890), certamente uma atividade literária que não mais depende de um só grupo, recrutando os seus membros em vários deles.

Deixando de ser manifestação grupal, ela vai tornar-se manifestação de uma classe — a nova burguesia, recém-formada, que refinava os costumes segundo o modelo europeu, envernizada de academismo, decadentismo e art nouveau.

Nesse terceiro momento a literatura se torna acentuadamente *social*, no sentido mundano da palavra. Manifesta-se na atividade dos profissionais liberais, nas revistas, nos jornais, nos salões que então aparecem. E por uma conjunção verdadeiramente providencial, é o momento do Parnasianismo e do Naturalismo.

Com efeito, assim como as tendências românticas prestaram-se à definição de uma literatura de grupo, oposta de certo modo à comunidade tacanha, pelo coeficiente de isolamento e antagonismo que trazia, o Parnasianismo e o Naturalismo se ajustaram com vantagem a essa difusão da literatura na comunidade em mudança, pelos seus cânones de comunicabilidade e consciência formal. Expressão clara, embora elaborada; sentimentos naturais; conformidade ao bom senso e à realidade como ela é; comunicabilidade, porém definida segundo os padrões da gente culta, incorporada à classe dominante e dispersando-se a partir dela pela população.

Daí um certo aristocratismo intelectual, certo refinamento de superfície, tão do agrado da burguesia, que nele encontra atmosfera confortável e lisonjeira. Não é de estranhar, portanto, que as concepções literárias de então se hajam enraizado em São Paulo, a ponto de até hoje formarem a base do gosto médio, que parou em Vicente de Carvalho e Martins Fontes. Os oradores, os jornalistas, os homens públicos ainda se reportam automaticamente a elas, quando elaboram a sua expressão, e os poetas modernos mais queridos são os que a elas mais se prendem: Guilherme de Almeida, Menotti del Picchia.

Grande significado social, como se vê, tem este processo por meio do qual a produção literária se transferiu do grupo fechado de estudantes para a comunidade, organizando-se de acordo com padrões definidos pelos da elite social. Processo que serviu à própria poesia romântica — ao alargar o âmbito dos seus consumidores, dando-lhes difusão que antes não possuía. E ao fazê-lo, recalcou as tendências satânicas tão características do meado do século, selecionando as do sentimentalismo e do nacionalismo, mais comunicáveis, e de fato incorporados pela musa parnasiana. Resultado: talvez nunca tenha havido em São Paulo uma coincidência tão grande entre a inspiração dos criadores, o gosto do público, a aprovação das elites. Contos e romances *reais* ("a gente parece ver"; "*parece* que *aconteceu* com a gente"); poemas sonoros, límpidos, fáceis de decorar e recitar, mas ao mesmo tempo corretos, de acordo com as normas da língua — cujo cultivo encontra então o seu apogeu. Não é por mera coincidência que dois dos poetas mais característicos da época sejam professores: Francisca Júlia e Sílvio de Almeida — este, bom conhecedor do idioma. Nem que o mais famoso romancista, dentre os que viviam em São Paulo, fosse Júlio Ribeiro, gramático eminente. "Língua", "linguagem", "apuro", "estilo terso", "escoimado de erros", "vernáculo"; "decoro", "lapidar", "escorreito", "nitidamente desenhado", "fino lavor", "opulento", "riqueza de vocabulário"; "real", "traçado ao vivo", "tirado da vida", "só falta falar", — eis um ramalhete da crítica do tempo, mais eloquente do que tudo que pudéssemos dizer.

Compreensível, portanto, que ocorresse então[o beneplácito dos poderes à literatura. Literatura na política, na administração. Literatura como degrau de ascensão social. Solenidades públicas. Academias literárias — não mais de mocinhos imberbes, cedo dispersados pela vida, mas de respeitáveis senhores, com posição na sociedade. *Salons* em vez de repúblicas; em vez das sessões de grêmio, a acolhida ampla de um público já constituído, com interesses norteados pela burguesia semiletrada.]

No entanto, a herança dos mocinhos parece qualitativamente mais sólida, — pois de todo esse período, tão cheio de talentos estimáveis e de um real fervor pelas coisas do espírito, apenas nos fere a sensibilidade, hoje em dia, Vicente de Carvalho. Olhando-o em bloco, vemos que a sua função foi sobretudo social: a incorporação efetiva da literatura à vida da comunidade paulistana, por meio dos padrões de suas classes dominantes.

5. O grupo se desprende da comunidade

Esta incorporação da literatura à comunidade — que noutras partes do Brasil já se havia dado antes — e a maneira por que se processou, explicam muitos aspectos do quinto e, para este estudo, último momento, que agora vamos considerar. Trata-se do Movimento Modernista, que nesta cidade se desenvolveu e teve as suas manifestações mais características de 1922 a 1935. Foi uma profunda renovação literária, estreitamente ligada à constituição de um agrupamento criador, como era o dos estudantes românticos; não mais justaposto à comunidade, todavia, mas formado a partir dela, oriundo da sua própria dinâmica, diferenciando-se de dentro para fora — por assim dizer. No plano funcional, diríamos que corresponde à necessidade de reajustar a expressão literária às novas aspirações intelectuais e às solicitações da mudança artística em todo o Ocidente. No plano da estrutura, diríamos que foi um esforço — em parte vitorioso — para substituir uma expressão nitidamente de classe (como a dos anos 1890-1920) por uma outra, cuja fonte inspiradora e cujos limites de ação fossem a sociedade total.

Nesta parte, estamos ao alcance da memória de gente viva, e não há necessidade, como para os períodos anteriores, de aduzir documentos e provas. Todos sabem, por exemplo, que este movimento é o único, na literatura em São Paulo, cujo início pode ser precisamente datado: começa na famosa Semana de Arte Moderna, realizada em 1922 no Teatro Municipal. Espanemos mais uma vez a imagem cediça, para dizer que o Brasil teve, ali, a sua "noite do *Ernâni*"... Com efeito, ali se defrontaram duas facções, uma lutando por renovar a literatura de acordo com o espírito do tempo; outra, defendendo indignada uma tradição que, em São Paulo, correspondia a algo enraizado na sensibilidade. De ambos os lados, boa-fé e energia. Do lado dos conservadores, a aprovação tácita da comunidade; mas os renovadores tinham por si a premonição dos tempos novos e (tocamos no ponto que nos concerne sobretudo) formavam um agrupamento capaz de provocar o seu advento.

No seu estudo clássico sobre "Superordenação e subordinação", procurando explicar o motivo pelo qual o tirano — que é um só — pode manter submisso o povo, — que são todos, — argumenta Simmel que *todos* apenas de passagem se aplicam a pensar ou agir contra a opressão, e ainda assim com uma parte mínima das suas energias, empenhadas nos interesses vários da vida; portanto, exercem uma reação desconexa e parcial. O tirano, pelo contrário, põe no ato de mandar toda a sua personalidade em todos os momentos da sua vida, de tal forma que as reações parciais encontram sempre de volta a ação total da sua energia, expressa na inteireza do sistema repressivo.

Podemos aproveitar esta explicação para dizer que, ao passo que as tendências conservadoras se ocupavam apenas eventualmente em defender o seu ponto de vista, houve em São Paulo, durante anos, um grupo que punha na ação renovadora toda a sua capacidade de criação e agressão. De tal modo, que se as suas opiniões não chegaram a substituir a literatura dominante, elas exerceram atração poderosa sobre as forças criadoras, sobretudo o que havia de vivo e promissor. Com isso, encurralaram a literatura oficial no academismo mais estéril, e abriram caminho para a literatura nova, que dominaria completamente em nossos dias.

A ação de grupo foi, portanto, decisiva. Não só da parte do bloco inicial dos modernistas, que se manteve coeso durante algum tempo, como dos subgrupos que dele se originaram, decantando os vários aspectos contidos no movimento: Verde-Amarelismo, Anta, Antropofagia, grupo do *Diário Nacional*, da *Revista Nova* etc.

No começo, o referido bloco abrangia os modernistas do Rio, dos quais Graça Aranha desejava passar por chefe. Os principais dentre os paulistas eram Mário de Andrade, Oswald de Andrade, Menotti del Picchia, Cassiano Ricardo, A. Couto de Barros, Guilherme de Almeida, Rubens Borba de Morais, Sérgio Milliet — mais tarde Antônio de Alcântara Machado. O grupo desenvolveu uma linguagem própria, e muito do que se tornou expressão oficial do movimento, e pareceu ao público hermetismo voluntariamente perverso, se explica no fundo por certas formas de intercomunicação dos seus membros. Os modismos, o estritamente pessoal de cada um, passaram ao verso e à prosa, suscitando, para os não iniciados, problemas angustiosos de exegese, como certos versos de Mário de Andrade:

E os goianos governados por meu avô,

ou

A Flandres inimaginável
E a decadência dos Almeidas.

Ou ainda certo final de capítulo do *Serafim Ponte Grande*, jovial e realista, carregado de sentido para os que conheciam os motivos do autor.

Além desse esoterismo que reforça a coesão interna, opondo o grupo aos outros, e à sociedade geral, os modernistas desenvolveram as famosas atitudes "futuristas": interpelações públicas, protestos, intimidação, confusão do adversário. Estabeleceram uma desnorteante mistura de valores, como a citação do Guaraná Zanotta ao lado de referências a Bilac ou Fídias. Organizaram tertúlias famosas, espécies de cerimônias confirmatórias, em fazendas e salões de amigos, em excursões distantes, — a Ouro Preto, à Amazônia. Passaram no crivo a tradição clássica, afetando total indiferença pelos seus valores. Todavia, este aparato esotérico e exotérico não passava de blindagem do grupo para a luta, cuja finalidade real foi o trabalho aturado e profundo de revisão literária. Pode-se reconhecer a autenticidade de um escritor dessa fase pela sua identificação com a vida aparente e a vida profunda do movimento. Os que dele participaram como quem tem catapora, e os que se realizaram nele, como obra e personalidade.

Na constituição desse, ou desses agrupamentos de campanha literária, deve-se apontar a relação que mantiveram com os salões burgueses, alguns oriundos da fase anterior e que, tendo constituído atmosfera estimulante para os efeitos convencionais do Parnasianismo, forneceram também, em certos casos, ambiente para os modernos. Algumas casas da classe dominante em São Paulo os acolheram, dando-lhes deste modo não apenas amparo e reconhecimento em face da tradição, mas reforçando os vínculos entre eles, confirmando-os na sua sociabilidade própria. Houve mesmo tensões e rupturas na base do apoio ou fidelidade aos vários mecenas. Dentre tais salões deve-se mencionar a famosa Vila Kyrial, onde "Freitas Vale, o magnífico", — o poeta simbolista Jacques D'Avray, — congregou sucessivamente, por mais de um quarto de século, simbolistas, parnasianos, modernistas, estabelecendo um elo profundo entre estas diversas tendências.[A circunstância dos modernistas se ligarem a formas tradicionais de sociabilidade literária mostra que a estrutura social da cidade, bastante rica a esta altura, já se encontrava aparelhada para assimilar as formações divergentes, originadas pela dinâmica do seu desenvolvimento.]

Esta observação nos leva a outra, de natureza comparativa. Enquanto na São Paulo romântica a literatura surgiu e encorpou como expressão de um grupo, que não encontrava manifestação possível da sua integridade no quadro das atividades sociais disponíveis; na São Paulo pós-parnasiana o grupo modernista surgiu (isto é, constituiu-se enquanto grupo) como veículo de tendências intelectuais que não podiam manifestar-se através dos grupos literários (efetivos ou virtuais) então existentes.

Prossigamos na linha comparativa. Em 1922, como em 1845, o grupo literário se constituiu em oposição consciente à comunidade, na afirmação de uma existência própria. Em 1845, porém, a oposição era entre duas visões do mundo, e por assim dizer entre duas idades — adolescência e maturidade. Em 1922, era, além disso, de uma literatura a outra — pois o que se desejava era destruir um sistema literário solidamente constituído, coisa inexistente em São Paulo ao tempo do Romantismo.

[Daí o estabelecimento, no plano literário, de uma competição com os grupos que representavam o sistema oficial: jornais, salões, academias, correntes de opinião. Foi nitidamente (e isto é o seu caráter diferencial do ponto de vista sociológico) uma porfia em torno da liderança intelectual em São Paulo. Foi uma concorrência em que se empenharam os defensores de uma literatura ajustada à ordem burguesa tradicional, implicando um "gosto de classe" (dominante), fielmente servido por escritores providos de beneplácito, difundindo-se pelo exemplo por toda a pirâmide social; e os renovadores, procurando exprimir valores mais profundos, aspirações e estilos recalcados na literatura popular pelo oficialismo burguês.] Por isso, embora os escritores de 1922 não manifestassem a princípio nenhum caráter revolucionário, no sentido político, e não pusessem em dúvida os fundamentos da ordem vigente, a sua atitude, analisada em profundidade, representa um esforço para retirar à literatura o caráter de classe, transformando-a em bem comum a todos. Daí o seu populismo — que foi a maneira por que retomaram o nacionalismo dos românticos. Mergulharam no folclore, na herança africana e ameríndia, na arte popular, no caboclo, no proletário. Um veemente desrecalque, por meio do qual as componentes cuidadosamente abafadas, ou laboriosamente deformadas (é o caso de "literatura sertaneja") pela ideologia tradicional, foram trazidas à tona da consciência artística. O admirável "Tupi or not Tupi", do "Manifesto Antropófago" de Oswald de Andrade — mestre incomparável das fórmulas lapidares —, resume todo este processo, de decidida incorporação da riqueza profunda do povo, da herança total do país, na estilização erudita da literatura. Sob este ponto de vista, as intuições da Antropofagia, a ele devidas, representam o momento mais denso da dialética modernista, em contraposição ao superficial "dinamismo cósmico" de Graça Aranha.

Outro traço, que reforça a semelhança geral do Romantismo com o Modernismo, é a atitude de negação, que lá foi satanismo e aqui troça, piada. O humor e a chacota pertencem também à atitude romântica, e uma das suas manifestações mais típicas, "A orgia dos duendes", de Bernardo Guimarães, é um xadrez de brincadeira, melancolia e perversidade, com predomínio das duas últimas. Já o Modernismo é o movimento mais alegre e jovial da nossa literatura, — manifestado no próprio comportamento dos seus protagonistas, na sua furiosa ânsia de diversão. Lembremos "O claro riso dos modernos", de Ronald de Carvalho, para sugerir que a alegria foi dogma equivalente à tristeza romântica e, por isso mesmo, não raro artificial, como esta. Ambas foram norma e expressão de grupo, a que se conformavam os seus membros respectivos. *Macunaíma*, de Mário de

Andrade, a maior obra do movimento, reflete bem esta condição; mas termina num quebranto de melancolia, que revela as correntes profundas da atitude modernista.

E agora, terminando, lembremos a analogia derradeira: como o Romantismo, o Modernismo é, de todas as nossas correntes literárias, a que adquiriu tonalidades especificamente paulistanas[Se em São Paulo não tivesse havido os escritores que houve no período clássico, no Naturalismo, no Parnasianismo e no Simbolismo, a literatura brasileira teria perdido um ou outro bom escritor, mas nada de irremediável. Se tal acontecesse no Romantismo e no Modernismo, o Brasil ficaria mutilado de algumas das suas mais altas realizações artísticas, como são a tonalidade noturna do *Macário* e a explosão rabelaisiana de *Macunaíma*, com tudo o que se organizou de fecundo em volta dessas obras culminantes. Dois momentos paulistanos, portanto; dois momentos em que a cidade se projeta sobre o país e procura dar estilo às aspirações do país todo.]

> Dançamos juntos no carnaval das gentes,
> Bloco pachola do "Custa mas vai!"
>
> (Mário de Andrade)

* * *

Se as considerações anteriores alcançaram o objetivo, o leitor terá obtido uma rápida visão da literatura nas suas relações com a comunidade paulista. Terá visto que ambas se explicam e se complementam, se as quisermos ver solidariamente.

Com efeito, os cinco momentos mostram cinco maneiras diversas de associação dos escritores, de participação dos mesmos na vida social, de ajuste da expressão à dinâmica dessas relações e sua influência nelas.

A princípio, uma cidade em que não há condições para a vida organizada da inteligência, mas onde há alguns indivíduos animados do desejo de exprimir os valores locais. É o primeiro e vago esboço de uma literatura paulistana, definida pelo encontro de poucos intelectuais com os valores tradicionais da comunidade, já socialmente amadurecidos, mas ainda não simbólica e intelectualmente elaborados.

Decênios mais tarde, vemos desenvolver-se um agrupamento que permite a atividade literária permanente. Ele pertence à cidade, está demograficamente integrado nela, mas lhe é espiritualmente alheio. Não possui forças para elaborar uma expressão original, mas dá lugar a certas tendências que floresceriam mais tarde.

Em seguida, encontramos o corpo estudantino já estruturado e solidamente justaposto à cidade. A sua duração, a evolução das formas de sociabilidade, que lhe são próprias, deram lugar a uma atmosfera espiritual altamente condutora, que o segrega da comunidade. Os aspectos satânicos do Romantismo se casam admiravelmente a estas condições, e surge pela primeira vez uma literatura de tonalidade paulistana — expressão de um grupo que é corpo estranho na pequena cidade.

Mas esta cresce, e a moda romântica passa. O aumento de densidade demográfica e social abre novas possibilidades de ajuste dos moços, e deste modo rompe a sua sociabilidade hermética. As novas tendências literárias acentuam o caráter comunicativo da palavra, surgem escritores que não dependem da Faculdade de Direito. A literatura e os escritores se integram na comunidade. Como a sociedade é de classes, constitui-se uma literatura convencional, ajustada aos padrões de refinamento e inteligibilidade da classe dominante, cujo prestígio garante a sua difusão pelas outras camadas.

Ora, nessas condições, a literatura passa de tal modo a ser um elemento da ordem social, que não se sente nela a vibração e a receptividade em face das novas sugestões da vida, em constante fluxo. Daí um novo movimento, para lhe dar amplitude ainda maior, fundando-a, não no gosto e no interesse de um limitado setor da sociedade, mas na vida profunda de toda esta, na sua totalidade. O Modernismo completa o processo iniciado na segunda metade do século XVIII, quando os seus grupos revolucionários procuram alargar o âmbito da criação artística, englobando os aspectos recalcados da sociedade e da cultura nacional. É o segundo momento em que a cidade de São Paulo contribui com algo próprio ao patrimônio comum do país.

[Um grupo virtual, bruxuleando na cidade indiferente; um grupo ordenado, estabelecendo a tradição literária; um grupo ordenado e vivo, criando uma expressão à margem da cidade; a cidade absorvendo este grupo e chamando a si a atividade literária, que se ordena pelos padrões eruditos da burguesia culta; da cidade surgindo um grupo que rompe esta dependência de classe e, quebrando as barreiras acadêmicas, faz da literatura um bem de todos. Há uma história da literatura que se projeta na cidade de São Paulo; e há uma história da cidade de São Paulo que se projeta na literatura.]

Estrutura literária e função histórica

É curioso que o *Caramuru*, de frei José de Santa Rita Durão, haja sido pouco apreciado no seu tempo, indo ter, quase meio século depois de publicado, um papel eminente na definição do caráter *nacional* da nossa literatura. Os estudiosos conhecem a abundância, durante o Romantismo, de referências a Durão e a Basílio da Gama como verdadeiros poetas *nacionais*, precursores e, mesmo, segundo alguns, fundadores da tendência que então se preconizava.

Este ensaio pretende investigar como e por que isto aconteceu, sugerindo que a função histórica ou social de uma obra depende da sua estrutura literária. E que esta repousa sobre a organização formal de certas representações mentais, condicionadas pela sociedade em que a obra foi escrita. Devemos levar em conta, pois, um nível de realidade e um nível de elaboração da realidade; e também a diferença de perspectiva dos contemporâneos da obra, inclusive o próprio autor, e a da posteridade que ela suscita, determinando variações históricas de função numa estrutura que permanece esteticamente invariável. Em face da ordem formal que o autor estabeleceu para sua matéria, as circunstâncias vão propiciando maneiras diferentes de interpretar, que constituem o destino da obra no tempo.

I

Começando por um lugar-comum, lembremos que a literatura brasileira adquire consciência da sua realidade, — ou seja, da circunstância de ser algo diverso da portuguesa, — depois da Independência; e isto decorreu, a princípio, mais de um desejo, ou mesmo de um ato consciente da vontade, que da verificação objetiva de um estado de coisas. Com efeito, pouco havia nas débeis letras de então que permitisse falar em literatura autônoma, — seja pelas características das obras, seja pelo número reduzido de autores, seja, principalmente, pela falta de articulação palpável de obras, autores e leitores num sistema coerente. Não havia tradição orgânica própria, nem densidade espiritual do meio.

Todavia, uma conjugação de fatores levou a esboçar-se, logo após a Independência, a referida consciência de autonomia, podendo-se, entre eles, destacar o desejo de dar equivalente espiritual à liberdade política, rompendo, também neste setor, os laços com Portugal. Destaquemos ainda as tendências historicistas, marcadas de relativismo, que, vendo na literatura uma consequência direta dos fatores do meio e da época, concluíram que cada país e cada povo possui, necessariamente, a sua própria, com características peculiares.

Imaginemos que andava pelo ar, mais ou menos difuso, o raciocínio seguinte: "O Brasil tem uma natureza e uma população diferentes das de Portugal, e acaba de mostrar que possui também uma organização política diferente; a literatura é relativa ao meio físico e humano; logo, o Brasil tem uma literatura própria, diferente da de Portugal".

Esta foi (poderíamos dizer) a grande hipótese de trabalho dos românticos, que acabaram por erigi-la em dogma. Dela proveio muito da teoria e da prática do nosso Romantismo, seja no terreno da criação, seja no da crítica. Era preciso mostrar que tínhamos uma literatura, exprimindo características que se julgavam *nacionais* e para lhe dar validade era preciso também provar que o meio já a vinha destilando antes, graças ao poder causal que lhe atribuíam os pressupostos românticos.

Ser bom, literariamente, significava ser *brasileiro*; ser *brasileiro* significava incluir nas obras o que havia de específico do país, notadamente a paisagem e o aborígine. Por isso o Indianismo aparece como timbre supremo de brasilidade, e a tarefa crítica se orientou, desde logo, para a sua busca retrospectiva, procurando sondar o passado para nele localizar os *verdadeiros* predecessores, que segundo os românticos teriam conseguido, graças principalmente ao pitoresco, romper a carapaça da convenção portuguesa (clássica). Diz saborosamente Mário da Silva Brito que "era preciso urgentemente, para os *nouveaux riches* da nacionalidade, descobrir uma tradição, uma tradição galharda, heroica, um mito nacional. Estava tudo no índio".[1]

Esta tendência se enquadra noutra mais ampla, típica da nossa civilização, e que se poderia chamar tendência genealógica, tomando a expressão em sentido bem lato.

Num país sem tradições, é compreensível que se tenha desenvolvido a ânsia de ter raízes, de aprofundar no passado a própria realidade, a fim de demonstrar a mesma dignidade histórica dos velhos países. Neste afã, os românticos de certo modo *compuseram* uma literatura para o passado brasileiro, estabelecendo troncos a que se pudessem filiar e, com isto, parecer herdeiros de uma tradição respeitável, embora mais nova em relação à europeia. E aqui tocamos numa contradição, frequente nos arrivistas, e típica dessas gerações, entre o orgulho de ser criador de algo novo, e o desejo de ter uma velha prosápia.

Depois dessas considerações, o tema do nosso estudo pode ser formulado mais ou menos da seguinte maneira: no referido processo de construção *genealógica*, isto é, no grande esforço

---

1 "Informe sobre o homem e o poeta Gonçalves Dias", em Gonçalves Dias, *Poesias completas*. São Paulo: Saraiva, 1957, p. 58.

para definir a continuidade das manifestações do específico brasileiro na vida espiritual, com base nas particularidades do meio e do homem americano, desempenhou grande papel o *Caramuru*, publicado em Lisboa no ano de 1781, meio século antes do nosso movimento romântico e nacionalista. Isto foi possível graças às suas características, que permitiram submetê-lo a um duplo aproveitamento, estético e ideológico, no sentido das tendências nacionalistas e românticas.

Sendo assim, deveremos investigar o seguinte:

1. em que consistiu a sua participação nos antecedentes do movimento genealógico dos românticos;
2. quais das suas características se ligam a ele;
3. por que, por quem e como foi utilizado no mencionado sentido ideológico.

Quanto à literatura, o *movimento genealógico* começa com os pródromos do Romantismo; mas é anterior no que se refere à visão histórica do país. Sob este aspecto, o século XVIII pode ser considerado decisivo, sem prejuízo de esboços prévios. Tendo-se estabilizado nele a ocupação da terra, os homens de pensamento foram levados a uma primeira reflexão de conjunto sobre o significado do que se fizera até então. Isto principia nas zonas mais estáveis e antigas, já dotadas de certa tradição social, como Bahia, Pernambuco, São Paulo, manifestando-se pela história apologética da colônia e pelo esforço nobiliárquico, ou, se for permitido o termo, linhagístico, no sentido de definir uma aristocracia local.

As duas tendências se ligam estreitamente, pois a concepção de história não se separava do registro de feitos individuais, ou familiares. E numa sociedade de castas, em que os três *Estados* (clero, nobreza e povo) eram reconhecidos e mesmo requeridos para funcionamento das instituições, os feitos ou eram praticados pelos membros da casta guerreira e administrativa, ou davam acesso a ela, quando praticados por outros, havendo uma corrente constante que conduzia da aventura à aristocracia. A existência de uma *nobreza*, decorrente do serviço das armas, da governança, da produção econômica, provaria a existência de uma história (concebida como registro de feitos); portanto, de uma dignidade através do tempo.

As Academias Literárias promoveram esforços neste sentido. A primeira, dos Esquecidos, incumbiu Sebastião da Rocha Pita de escrever uma história do Brasil, que efetivamente se publicou em Lisboa, no ano de 1730, em edição magnífica, sob o título de *História da América portuguesa*. Como se sabe, é uma crônica barroca, desejosa de emprestar caráter de sublimidade à natureza e à história locais.

No setor estrito das linhagens, destacam-se Borges da Fonseca e a sua *Nobiliarquia pernambucana*, escrita de 1771 a 1777, muito famosa apesar de ter ficado inédita; e Pedro Taques, autor da *Nobiliarquia paulista*, escrita no decênio de 1760 e estampada apenas no século seguinte. Ambos representam a tomada de consciência de uma classe que, já se considerando senhora da terra por direito da tradição, tentava exprimir-se no campo da política e da cultura. Classe que fará a Independência, em 1822, como esforço para se libertar política e economicamente dos estatutos metropolitanos.

A meio caminho entre história e nobiliarquia, citemos frei Antônio de Santa Maria Jaboatão, em Pernambuco, com o excelente *Novo orbe seráfico* (1761), e frei Gaspar da Madre de Deus, em São Paulo, cuja obra principal são as *Memórias para a história da capitania de São Vicente* (1797).

Todos eles exprimem a mesma aspiração *genealógica* (no sentido amplo) e constituem um movimento coeso para definir a tradição local, — celebrando a pujança da terra, o heroísmo dos homens, os seus títulos à preeminência, a limpeza das suas estirpes. A última tarefa é bastante relativa e mesmo ilusória, num país de mestiçagem, desde que seja encarada segundo padrões europeus, como faziam estes cronistas, conformando-se à teoria da *puritate sanguinis*. Sentindo o problema, eles se adequaram à situação, criando o mito da nobreza indígena, que redimiria a *mancha* da mestiçagem; e chamaram *princesas* às filhas dos caciques, incorporadas à família do branco a título de companheiras ou esposas, além de disfarçar quanto puderam a poligamia de fato, com que os primeiros colonizadores se ajustaram às condições do meio. "Princesas do sangue brasílico" foram, complacentemente, reputadas as índias Maria do Espírito Santo, em Pernambuco; Catarina Paraguaçu, na Bahia; Bartira e Antônia Rodrigues, em São Paulo, — antepassadas das estirpes mais importantes dessas capitanias, por seus casamentos, respectivamente, com Jerônimo de Albuquerque, Diogo Álvares, João Ramalho e Antônio Rodrigues. Este processo foi auxiliado pela relativa dignificação do índio, graças à atitude generosa dos jesuítas, e, afinal, à lei pombalina que extinguiu a sua escravização.

Estas observações permitem dizer que houve de fato um esforço genealógico no século XVIII, e servem de introdução histórica ao poema de Durão, que significa, no campo literário, a tentativa épica de dar dignidade à tradição, engrandecer os povoadores, justificar a política colonial.

2

O herói de Durão se vincula tanto à tradição histórica quanto à linhagística. De um lado, sabemos que, tendo chegado à Bahia quiçá pela altura de 1510 (conforme o poema, teria vindo no decênio de 1530), morreu em 1557, tendo sido excepcionalmente considerado pelos índios e, depois, pelos colonos e autoridades, que ajudou de maneira substancial. De outro lado, é sabido que da sua ligação com algumas índias da Bahia, e pelo matrimônio subsequente com uma delas, Paraguaçu,

provieram importantes linhagens baianas. Fonte de civilização e fonte da nobreza local, Diogo se valeu de alegados direi-
tos da mulher para obter e ceder à Coroa largos tratos de gleba.

Como é natural, foi desde logo envolvido em lendas, sobretudo quanto à parte inicial da sua estadia, quando era o único
branco entre os índios da região, que costumavam devorar ri-
tualmente os prisioneiros e, entretanto, não apenas o poupa-
ram, mas lhe deram considerável ascendência na vida tribal, —
o que mais tarde lhe permitiria o papel de intermediário entre
eles e os portugueses.

Durão operou em Diogo um curioso trabalho de *limpeza*.
Além de fazê-lo recusar os favores das jovens postas à sua disposição, conforme o uso da hospitalidade tupinambá, fê-lo
comprometer-se desde logo com Paraguaçu, para todavia só
efetuar a união depois dela ter sido batizada na França, e, portanto, estar apta para o matrimônio cristão. Em resumo, o herói se comporta como um jovem adepto de São Luís Gonzaga,
quebrado pela educação da contrarreforma e ajudado pelo amparo divino:

Mas desde o Céu a Santa Inteligência
Com doce inspiração mitiga a chama;
Onde a amante paixão ceda à prudência,
E a razão pode mais, que a ardente flama.
(II, 83)

Este comportamento exemplar acentua a sua mediocridade
como personagem, isento de erros normais em heróis de epopeia, até nos da piedosa *Jerusalém libertada*, o que o faz corresponder apenas em parte à definição de Bowra:

[...] os autores de epopeias literárias são quase forçados a indicar
uma ética. Os seus heróis são exemplos do que o homem deve

ser ou tipos de destino humano cujos próprios erros devem ser registrados e lembrados.[2]

Esta simplificação se torna compreensível quando notamos que, embora utilize Diogo como elemento romanesco, o principal interesse de Durão é celebrar, na escala da epopeia, a colonização portuguesa no Brasil, segundo um certo ponto de vista, — e ainda aí se enquadra na tradição da épica literária que, diz Bowra, passou, com Virgílio, dos feitos pessoais ao destino nacional: "[...] ele quis escrever um poema sobre algo muito mais vasto que o destino de heróis individuais [...]. O assunto de Camões é Portugal, como Roma é o de Virgílio".[3] Tomemos ao crítico inglês uma terceira consideração, que ajuda a compreender o poeta. Segundo ele, a epopeia literária (que contrapõe à popular) não medra no fastígio das nações ou das causas, mas no seu declínio.[4] Encarado como epopeia da nossa colonização, o *Caramuru* confirma a regra. Durão celebra-a quando o domínio português no Brasil começava a dar os primeiros sinais de declínio, e o próprio sistema colonial entrava em contradição com as realidades locais. A classe dominante adquiriu progressivamente consciência disso e passou a discernir com nitidez que havia uma tradição histórica brasileira, justificando a individualidade política do país. É o momento de passagem da consciência de uma tradição para o seu *aproveitamento* em sentido nacional pela classe dominante, que nela encontraria, inclusive, justificativas para a Independência.

Mas convém sublinhar que Durão exaltava a obra colonizadora principalmente na medida em que era uma empresa religiosa, uma incorporação do gentio ao universo da fé católica.

2 C. M. Bowra, *From Virgil to Milton*. Londres: Macmillan, 1948, p. 16.
3 Ibid., p. 15. 4 Ibid., p. 28.

Entre os estímulos que o levaram a escrever o poema, talvez esteja o intuito de replicar ao *Uraguai*, de Basílio da Gama (1769), que apresentara a catequese dos jesuítas como acervo de iniquidades, dentro da linha de propaganda pombalina a que obedecia. Durão quis mostrar, ao contrário, que a civilização se identificava ao catolicismo e era devida ao catequizador, — em particular ao jesuíta. E que a nossa história se explicava, de um lado, como incorporação progressiva do aborígine a esta ordem de crenças e práticas; de outro, como esforço do português para manter a ortodoxia, contra protestantes franceses e flamengos. É significativo a este respeito o fato de, ao recapitular a nossa formação, limitar-se praticamente às guerras contra eles, transformando a história do Brasil numa crônica militar, em que o guerreiro se torna, a seu modo, missionário na defesa da fé ("Cantos" VIII e IX). Trata-se, portanto, de uma epopeia eminentemente religiosa, antipombalina, em que até na forma o autor se mostra passadista, ao repudiar o verso branco, tão prezado pelos seus contemporâneos, para voltar aos processos camonianos. Isto, é claro, não impede que sofra influências do seu tempo, inclusive as que o levam a suprimir quase completamente o maravilhoso, fato que Hernani Cidade aponta, atribuindo-a à doutrina de Verney.[5]

O segundo elemento básico é a visão grandiosa e eufórica da natureza do país, que funciona como cenário digno de grandes feitos e acrescenta mais uma dimensão às proporções da epopeia. A este propósito, convém estabelecer algumas correlações entre a técnica de Durão e o tópico do *locus amoenus*, estudado por Curtius.[6]

5 Santa Rita Durão, *Caramuru: Poema épico do descobrimento da Bahia*, por Hernani Cidade. Rio de Janeiro: Agir, 1957, pp. 9 e 11-12 (Coleção Nossos Clássicos, n. 13).   **6** Ernst Robert Curtius, *Europäische Literatur und Lateinisches Mittelalter*. Berna: Francke, 1948, cap. 10: "Die Ideallandschaft".

O jardim de delícias, o lugar maravilhoso, é um elemento constitutivo da estrutura das epopeias, servindo para contrastar os trabalhos da vida com a promessa ou miragem do ideal. É a Ilha dos Amores, em *Os lusíadas*; o jardim de Armida, ou a vida entre os pastores, na *Jerusalém libertada*; o paraíso bíblico, em Milton; o paraíso à moda brasileira, no céu do *Assunção*, de frei São Carlos. No *Caramuru*, todavia, há uma generalização desta prática, pois o poeta amplia o lugar de maravilhas até fazê-lo coincidir com todo o país e, deste modo, descaracterizar a sua função. Não se trata mais de um segmento excepcional do espaço épico: é todo ele que se identifica ao horto ameno.

A este propósito, convém notar que Durão deu semelhante tratamento à natureza porque, em parte, isto se vinha efetuando na visão que os portugueses manifestaram do Brasil, desde o século XVI, e que se comunicara aos escritores brasileiros na passagem do XVII para o XVIII, com Botelho de Oliveira, seguido por Rocha Pita e Itaparica. Esta visão traz latente uma espécie de esforço coletivo da literatura para erigir o país em vasto *lugar ameno*, não mais concebido como ponto privilegiado no conjunto de uma paisagem, mas como paisagem totalmente bela e deleitosa, no conjunto do mundo, — o que se define em Rocha Pita.

Talvez mais por influência deste que de outro qualquer, o poeta efetuou a hipertrofia do natural em maravilhoso. Mas poderia também ter influído a circunstância de haver deixado a pátria aos nove anos para nunca mais voltar, — o que ajudaria a imaginação a aceitá-la facilmente como um continente de poesia, um material para exercício literário. Daí nortear-se por uma "visão do Paraíso" (como diria Sérgio Buarque de Holanda), procedendo à verdadeira explosão nuclear do *lugar ameno*.

Em tais condições, é claro, este conceito se desfigura, pois ele está essencialmente vinculado às ideias de segmento e de contraste, sendo "um tópico bem delimitado no conjunto das descrições da natureza".[7] Se o invoquei, foi por constituir um tipo característico de "paisagem ideal" (*Ideallandschaft*) e porque no estudo de Curtius há indicações de que os seus elementos componentes podem aumentar relativamente de quantidade.[8] Daí imaginarmos, de maneira figurada, que ele se distendeu até descaracterizar-se, pois assim podemos sugerir o tipo de hipertrofia realizado por Durão, ao cobrir todo o país com um manto de excepcional beleza.

O terceiro elemento básico do *Caramuru* é o homem natural, o índio, que aparece vivendo, sob certos aspectos, num estado de pureza cuja perfeição o europeu admira, não custando ver que os seus princípios morais e a conduta decorrente são uma espécie de depuração dos ideais do branco ("Canto III"). Neste sentido, o poema se enquadra na atitude utópica, renascentista e pós-renascentista, na visão de uma existência justa, inocente e eficaz, em um ambiente fora do comum.

Considerando os três elementos básicos, acima discriminados (colonização, natureza, índio), do ângulo da construção geral vemos que constituem os ativos *princípios estruturais*, segundo os quais se ordenam as partes, os motivos, os episódios. E vemos que em todos os três ocorre um elemento fundamental na organização expressiva do *Caramuru*: a ambiguidade. Não no sentido estilístico, sistematizado por Empson, mas no sentido propriamente estrutural. Com efeito, a colonização é uma iniciativa capital dos portugueses, — mas representa, ao mesmo tempo, a justificação do brasileiro, que começava a ter consciência da sua individualidade. A natureza total do país, por sua vez, é tratada como "visão do Paraíso", — mas conforme um ângulo que, na verdade, só vale para segmentos excepcionais da paisagem. Finalmente, o índio (na narrativa

7 Ibid., p. 203. 8 Ibid., pp. 200-203.

de Gupeva, "Canto III") apresenta traços de "bondade natural" e uma ordenação social baseada na razão, — mas de outro lado é antropófago e bárbaro, privado da luz da graça, não podendo, portanto, ser plenamente feliz.

Estas ambiguidades se justificam, todavia, se levarmos em conta o *princípio organizador* do poema, que coincide neste caso com a ideologia, isto é, a religião, — argamassa que liga as partes e solve as contradições.

Graças a ele, os *princípios estruturais* se vinculam sutilmente uns aos outros, pois considerando que a fé católica vai operar e imperar por meio da colonização, a grandiosidade insólita do país se explica como cenário de lutas e trabalhos da religião; e os germens de plenitude no índio, que nele vivem, são, ainda, uma outra predisposição para o futuro converso, que dele surgirá. O local e o universal se fundem, na unidade expressional e ideologicamente superior do catolicismo.

A literatura é essencialmente uma reorganização do mundo em termos de arte; a tarefa do escritor de ficção é construir um sistema arbitrário de objetos, atos, ocorrências, sentimentos, representados ficcionalmente conforme um princípio de organização adequado à situação literária dada, que mantém a estrutura da obra. Durão fez esta recomposição do mundo por meio de dados tomados de segunda mão aos cronistas, para chegar a uma certa visão. O seu princípio organizador (digamos pela última vez) foi a interpretação religiosa, que começa pela visão paradisíaca, sugere o problema do mérito do homem que desfruta o paraíso, sem estar para isto espiritualmente qualificado, e chega aos esforços para a justificação temporal deste paraíso, através da implantação da fé católica.

3

Estes elementos são vivificados, no plano da ação épica, pela presença de um personagem simbólico, que une as duas culturas, os dois continentes, as duas realidades humanas, — Diogo-Caramuru, — cuja caracterização permitirá completar a análise estrutural anterior e preparar o entendimento da função do poema.

Neste sentido, enumeremos as seguintes hipóteses:

1. a importância da obra de Durão, no Romantismo, vem, sob certos aspectos, da ambiguidade da situação narrativa, em geral, e do herói, em particular;

2. da ambiguidade deste provém a sua força como personagem;

3. desta força provém o seu caráter de paradigma, graças ao qual pôde identificar-se, em plano profundo, à própria essência da civilização brasileira.

Qualquer leitura atenta do poema (que, aliás, parece ter sido poucas vezes lido com real atenção) revela, mais do que as ambiguidades anteriores, a ambiguidade fundamental do herói. Quando procuramos Diogo, encontramos Caramuru; quando buscamos Caramuru, encontramos Diogo. Por outras palavras, quando tentamos ver um colonizador português, provido do equipamento civilizador da metrópole, encontramos o náufrago que se identificou aos índios, que viveu entre eles, fala por eles, celebra o país como seu, funde o seu destino ao da índia Paraguaçu. É um homem embutido na terra americana, a que veio misteriosamente como um peixe fantástico, emerso do desconhecido, — o "Dragão do Mar".

Basta, todavia, apertar este para sermos trazidos de volta a Diogo Álvares, minhoto, que transforma o Novo Mundo. Ele modifica a arte da guerra, com a disposição tática das forças, o uso do mosquete, da partazana, do elmo, da couraça. Ele intervém nos costumes e começa a desagregá-los, — impe-dindo o canibalismo, preconizando a monogamia, observando a castidade. Ele modifica as crenças, não apenas divulgando as suas, mas procurando interpretar as que encontra como um remoto esboço delas. E é evidente que o poeta o apresenta como uma espécie de missionário em embrião, que prepara os caminhos regulares da catequese. As várias mulheres, que na verdade teve, o poeta as afoga, como candidatas rejeitadas, na figura desesperada de Moema. E o mostra em contato com o rei, aconselhando o povoamento, assistindo aos governa-dores, determinando o local da primeira capital, tornando-se instrumento maior na introdução da civilidade europeia, tra-zendo a ela os índios.

Esta oscilação é reforçada pela de Paraguaçu que, sendo ín-dia, era não obstante alva e rósea, "branca e vermelha", como a mais lídima heroína da tradição europeia; e que rejeitava espontaneamente a nudez das outras, cobrindo-se com um manto espesso de algodão. Assim como Diogo se asselvaja em parte, ao tornar-se Caramuru, ela se torna de Paraguaçu em Catarina, civilizando-se num movimento contrário e simé-trico, que os aproxima da mesma situação ideal de ambigui-dade. O caminho dele, rumo à natureza primitiva do aborígine, é encontrado em meio pelo de Paraguaçu, rumo à natureza do branco. A estrutura psicológica e simbólica do poema requer este cruzamento, que gemina os dois num casal ao mesmo tempo real e alegórico. Paraguaçu é a metade americana de Diogo, como este é a sua metade europeia, formando ambos uma mesma e complexa realidade.

Trata-se, pois, aqui mais do que em qualquer outro aspecto, de um elemento fortemente ambíguo, entranhado no poema e vinculado inclusive à sua estrutura geral. Com efeito, nos "Cantos I, II e III" Diogo é Diogo, — isto é, o europeu deso-lado, depois triunfante, verificando com olhos europeus os costumes locais e confrontando a sua religião com as crenças da terra. Nos "Cantos IV e V", a que a guerra entre os índios vem dar cunho de epopeia brasileira, há mistura equilibrada, pois o europeu traz a sua técnica, mas de certo modo começa a sair de si, ao imiscuir-se no âmago da vida indígena, esposando os seus valores. Nos "Cantos VI e VII", Diogo já é o americano que expõe à Europa (nas pessoas de Du Plessis, capitão do navio que o leva à França, e, depois, do rei Henrique II, em Paris) as maravilhas incomparáveis da terra. Nos "Cantos VIII e IX" a palavra, num movimento inverso, passa a Paraguaçu, já agora Catarina, batizada e casada, que narra em antevisão a história futura das lutas pela fé, justificativa e galardão do colono e seu descendente. Assim, o europeu americanizado fala do que há de específico na terra, e em seu nome; a americana europeizada fala pela civilização, que lhe é sobreposta, e a que ela se identifica. No "Canto X", como plenitude deste processo, ela recebe a visão que Deus reserva aos escolhidos e funda a igreja da Graça, terminando o poema como conclusão glorificadora que unifica os dois elementos culturais em presença.

Completado por Paraguaçu, Diogo é, portanto, um ser misto e fluido, oscilando entre duas civilizações. O poeta resolve a ambiguidade, também aqui, por meio da religião, que se revela plenamente como ideologia, no sentido marxista de disfarce ou ocultação dos motivos reais. Ela é o vínculo que prende civilizado e primitivo, não só ao irmaná-los nas mesmas representações espirituais, mas porque insinua que as crenças selvagens eram formas corrompidas de verdade originalmente recebidas de Deus e desvirtuadas, lentamente, na dispersão pós-diluviana, que deixou os americanos inatingidos pela posterior redenção cristã, até a vinda do branco. Esta é justificada, precisamente, como tentativa de refazer o caminho e apagar os efeitos da corrupção, operada desde eras imemoriais. O europeu nada mais faria que trazer à estrada certa um homem desviado, que se esgalhara precocemente do tronco bíblico. E Tamandaré se equipara a Noé, Sumé a São Tomé, superando a contradição na síntese religiosa.

Mais fundo, porém, que esta unificação pelo substrato da fé, persiste na individualidade histórica e lendária de Diogo-Caramuru uma força que explica e torna fecunda a ambiguidade: o seu caráter de antepassado mítico e civilizador, já pressentido por Varnhagen,[9] mediante o qual se justifica a sua natureza de branco assimilado ao índio, e que ao mesmo tempo o assimila. Como João Ramalho, é um herói epônimo, situado simbolicamente no nascedouro de uma cultura mista e, tanto quanto ela, equívoco. Daí, a despeito da frouxa caracterização do poeta, o seu vigor como personagem e a sua duração na memória coletiva, por repousar numa dualidade de caráter simultaneamente histórico e lendário.

Na perspectiva da nossa formação histórica, Diogo-Caramuru é paradigma do encontro das culturas, que compuseram a sociedade brasileira e dialogaram muitas vezes em pé de igualdade, até que a ocidental predominasse em todos os setores, a partir da segunda metade do século XVIII, quando o Morgado de Mateus proibiu o uso da língua geral em São Paulo, seu último reduto em zona civilizada. A esta altura, já Durão e os seus contemporâneos se encontravam numa posição-chave, que permitiu interpretar e sistematizar o passado com certa coerência.

Se Diogo-Caramuru é ambíguo, é porque o fomos, e talvez ainda o sejamos, sob o impacto de civilizações díspares, à busca de uma síntese frequentemente difícil, mas que se torna possível pela redução de muitas diferenças ao padrão básico da cultura portuguesa, leito por onde fluímos e

9 "O Caramuru perante a história (Fragmento)", em *Épicos brasileiros*. Lisboa: Imprensa Nacional, 1845, pp. 416-417.

engrossamos, e que Diogo exprime, ao exprimir a adaptação do branco à América.

Daí decorre uma ambiguidade final, a mais saborosa para o historiador: é que a obra de Durão pode ser vista tanto como expressão do triunfo português na América, quanto das posições particularistas dos americanos; e serviria, em princípio, seja para simbolizar a lusitanização do país, seja para acentuar o nativismo. A essa altura, interveio, mais ou menos consciente, o ato de vontade dos românticos e seus precursores: quando se começou a voltar atrás, à busca do específico brasileiro, houve uma opção, uma escolha, quanto ao significado da obra, que acabou, devido a isto, definida como poema indianista e nacionalista, precursor e indicador do caminho que então se preconizava. A justificativa de semelhante redução não está apenas no fato dele se voltar para a glorificação do país, mas em haver sido o primeiro a manifestar, na poesia, um aproveitamento exaustivo e sistemático da vida indígena, ao contrário das pinceladas sumárias e admiráveis de Basílio da Gama. A este se prende muito do *espírito* e da técnica dos românticos, em toda a extensão do território poético. A influência de Durão (formalmente antiquado e pouco lírico) se restringiu ao setor indianista, onde, em compensação, foi maior, tanto nos gêneros em verso quanto em prosa, como revela a análise da repercussão dos elementos do *Caramuru* no temário e na própria *maneira* do Indianismo romântico.

Estas considerações expõem o essencial do nosso tema, ou seja, *por que* se deu o aproveitamento *genealógico* do *Caramuru*; resta indicar por quem e como isto foi feito ou sugerido.

4

Significativamente, a faísca foi acesa pelos franceses que se ocuparam do Brasil pela altura da Independência, influindo em nossa vida intelectual e artística de maneira profunda e duradoura, — umas vezes para bem, outras, para mal.

Publicado em 1781, parece que o *Caramuru* não foi aceito com entusiasmo, ou sequer simpatia; afirma-o, no decênio de 1830, Costa e Silva, cujos dados, é certo, são frequentemente duvidosos: "O *Caramuru* no seu aparecimento foi recebido com grande frieza em Portugal, e ainda maior no Brasil".[10] O que se pode dizer é que entre a data de publicação (1781) e a da "Introdução" de Garrett ao *Parnaso lusitano*, mas, sobretudo, da *História literária*, de Ferdinand Denis (ambos de 1826), parece não haver elementos apreciáveis quanto ao destino do poema. Este escritor francês de segunda ordem definiu a teoria do Romantismo brasileiro, como a expus no início; e, para ele, o grande exemplo de "literatura nacional" era o *Caramuru*. Embora assinale a qualidade secundária, esteticamente falando, acentua o seu significado de paradigma, dizendo que "indica bem o alvo a que deve tender a poesia americana".[11] O rebate foi ouvido em primeiro lugar na França, onde apareceu, no ano de 1829, a tradução em prosa de Monglave, e, em 1830, o romance de Gavet e Boucher, *Jakaré-Ouassou*.

A tradução é da maior importância para elucidar o nosso tema. Esclareçamos, previamente, que ela pode ou não ter sido difundida no Brasil; que, mesmo, pode ou não ter influído diretamente, embora seja provável que sim, pois Monglave protegeu e encaminhou o grupo de reformadores literários brasileiros que, de Paris, ensaiavam renovar as nossas letras. Tendo vivido aqui, era conhecido e estimado, sendo admissível que os seus trabalhos, relativos a nós, tivessem alguma repercussão. O certo, porém, é que a sua versão é de

---

10 José Maria da Costa e Silva, *Ensaio biográfico-crítico sobre os melhores poetas portugueses*. Lisboa: Imprensa Silviana, 1853, v. 6, p. 260. 11 *Résumé de l'histoire littéraire du Portugal suivi du résumé de l'histoire littéraire du Brésil*. Paris: Lecointe et Durey, 1826, p. 553.

natureza a ter encaminhado o *Caramuru* para o aproveitamento romântico, de que nos ocupamos; e isto basta para considerá--la uma etapa significativa.

François Eugène Garay de Monglave — admirador, amigo e propagandista de Pedro I — planejou traduzir uma série de vinte romances portugueses e brasileiros, a fim de mostrar que também em nossa língua florescia o gênero mais afortunado junto ao público de então.

> Existem romances portugueses e brasileiros? — perguntou-me em tom de dúvida mais dum literato a quem falava do meu projeto, como se não pudesse existir, ao lado de um povo que viu nascer os Cervantes, os Lope de Vega, os Calderón, um outro povo que se honra de um Bernardim Ribeiro, um Francisco de Morais, um Mousinho de Quevedo; e como se o sol americano, que aqueceu o gênio de Cooper, houvera sido de gelo para os Santa Rita Durão, os Basílio da Gama.[12]

E, logo a seguir, numa interessante extensão da novelística, vai considerando romancistas a todos os épicos, inclusive os nossos:

> Sim, existem numerosos romances nessa literatura portuguesa que mal conhecemos, e que no entanto se orgulha de ter dado à Europa o seu primeiro épico moderno. Os brasileiros [...] podem opor, sem grande prejuízo, ao *Último moicano*, de Cooper, duas produções que precederam de um século às do romancista dos Estados Unidos: o *Caramuru*, de Santa Rita Durão, e o *Uraguai*, de Basílio da Gama.[13]

12 *Caramuru ou La Découverte de Bahia: Roman-poème brésilien par José de Santa Rita Durão*, 3 v. Paris: Eugène Renduel, 1829, "Introduction", v. I, pp. 4-5.   13 Ibid., pp. 5 e 7.

Por aí se nota a preocupação *modernista* e atualizadora de Monglave. A passagem do verso à prosa na sua tradução foi um primeiro recurso importante, que ressaltou o elemento novelístico do enredo, ao quebrar as sugestões especificamente ligadas à estrutura métrica e estrófica. E, apesar do romance francês exótico daquele tempo ser vazado na prosa melódica, metafórica e amplamente ritmada, à Chateaubriand, Monglave não abusou do recurso, buscando, pelo contrário, um estilo mais chão e prosaico.

Além disso, suprimiu alguns trechos especificamente épicos, que não poderia acomodar e que manifestariam o caráter peculiar de poema, em contraposição à tonalidade novelística. É o caso da invocação e do exórdio, que suprimiu, cortando as oito estrofes iniciais para entrar diretamente na narrativa. Outra supressão interessante (ditada, provavelmente, por saborosas considerações políticas) foi a das onze estrofes iniciais do "Canto VIII", que falam da proposta dos franceses a Diogo para passar ao seu serviço, em detrimento de Portugal. Nelas, aliás, há uns versos que poderiam servir de epígrafe ao sentimento dos escritores brasileiros do tempo:

E durando eu na pátria obediência,
Serei francês na obrigação e agência.
(VIII, 10)

O principal recurso de descaracterização utilizado por Monglave foi, todavia, o abandono da estrutura em dez cantos, a favor de uma redivisão em 32 episódios, de tamanho desigual, providos de títulos alusivos, que bem poderiam encimar capítulos, e que destroem o ritmo geral de epopeia.

De tudo resulta um caráter intermediário, de passagem, entre poema e romance ("Roman-poème", diz o subtítulo aposto), que aproxima singularmente a obra do gosto do tempo e prepara terreno para a ficção indianista, já introduzida aqui pelo conto de Denis, "Les Machakalis".[14]

O passo imediato foi dado por dois jovens de ínfima categoria literária, Daniel Gavet e Philippe Boucher, que escreveram um romance ligado diretamente ao tema do Caramuru, aproveitando não apenas o seu material, mas a sua orientação narrativa: *Jakaré-Ouassou*.[15]

Denis havia dito, no *Résumé*, que, a seu ver, Durão escolhera mal o assunto: teria sido melhor, na história da fundação da Bahia, o momento dos conflitos entre o donatário Francisco Pereira Coutinho e os índios, que acabaram por devorá-lo. É interessante mencionar esse ponto de vista como subsídio para conhecer os pendores literários da época, que influiriam decisivamente em nossa literatura. Parece que Denis, talvez inconscientemente, estava puxando o tema de Diogo Álvares para episódios mais consentâneos à ficção novelística pré-romântica e romântica, procurando enquadrá-lo na situação predileta do seu fundador, Chateaubriand. Com efeito, sabemos que o romance indianista, na Europa e nas Américas, explorou de modo predominante as consequências do encontro de culturas, — a branca e a aborígine. Ora, foi o que Durão amainou no poema, falando, alternativamente, só do índio, ou só do branco, e deixando ao personagem ambíguo Diogo-Caramuru (e o seu duplo, Paraguaçu-Catarina) a função de operar simbolicamente o contato. Assim, consciente ou inconscientemente, evitou os aspectos fatais do choque. (A bela advertência feita, neste sentido, por Jararaca é apresentada como manifestação de animosidade à obra civilizadora, por parte dum índio-vilão.) Fatais, seja do ponto de vista coletivo (como nos

14 Ferdinand Denis, *Scènes de la nature sous les tropiques suivies de Camoens et Joze Indio*. Paris: Louis Janet, 1824, pp. 130-194. 15 D. Gavet e P. Boucher, *Jakaré-Ouassou ou les Toupinambas: Chronique brésilienne*. Paris: Timothée de Hay, 1830.

Natchez, de Chateaubriand, ou nos "Machakalis", de Denis), seja do ponto de vista individual (como em *Iracema*).

Gavet e Boucher tomaram a deixa de Denis, como ficou dito, e indo mais longe que o meio caminho de Monglave, publicaram o que se pode considerar o primeiro romance indianista de assunto brasileiro.

> O Brasil é um belo país pouco conhecido. Um de nós morou lá sete anos. Percorreu as costas e o interior dessa paragem tão poética, onde a alma se sente tão bem, sendo de espantar que ninguém ainda tenha feito sobre ela uma obra de imaginação. *Jakaré-Ouassou* é a primeira.[16]

Nele encontramos os elementos que mais tarde caracterizarão a nossa ficção indianista: índio nobre e índio vil; branco nobre e branco vil; colonizador piedoso e colonizador brutal; amores impossíveis entre branca e índio; linguagem figurada e poética, para dar o *tom* da mente primitiva. O entrecho gira em torno da inquietação dos tupinambás do Recôncavo, ante as prepotências do donatário e, principalmente, do seu filho. Diogo e Paraguaçu perpassam em segundo plano, como símbolo da harmonia perdida (ou inviável) entre as duas raças.

Lembremos agora o modo por que o tema do *Caramuru*, depois de considerado manifestação *nacional*, por excelência, foi devidamente explorado neste sentido, sofrendo uma deformação que o adaptou às concepções do tempo. Refiro-me à escolha da substância novelística, em lugar da propriamente épica, — o que o tornou mais próximo e familiar à sensibilidade romântica, voltada para a ficção e o lirismo. Observando este fato, podemos avaliar a importância do trabalho realizado pelos franceses, — numa sequência coerente e progressiva,

16 Ibid., p. XI.

que, entre 1824 e 1830, preludiou, por assim dizer, a nossa ficção romântica.

Do lado brasileiro, a primeira mostra de interesse consequente a isto foi a inclusão de largos trechos do poema (65 estrofes) no 5º Caderno do *Parnaso brasileiro*, de Januário da Cunha Barbosa, com menção expressa da opinião de Denis, a mostrar quem lhe reavivara a atenção:

> Alguns estrangeiros lhe dão por isso mesmo elogios. *Ferdinand Denis* faz dele honrosa menção no seu *Resumo da história literária do Brasil*, analisando muitas das suas belezas, e nós nos gloriamos de possuir uma epopeia brasileira unida a outras de menor extensão, de igual merecimento, como por exemplo o *Uraguai*, de J. B. da Gama.[17]

Desde que o grupo da *Niterói* proclamou em Paris a literatura autônoma do Brasil, em 1836, Durão e Basílio estiveram sempre nos escritos dos jovens, como exemplos por excelência do que o passado apontava de mais válido na direção dos temas *nacionais*. Com isto coincide significativamente um interesse novo pelo poema, segundo o testemunho de Costa e Silva:

> Também já se começa a fazer justiça ao *Caramuru*, já os críticos o examinam, e aplaudem, e os poetas o louvam, e não tardará muito que uma nova edição saia dos prelos do Brasil e torne a sua lição vulgar.

E este trecho, capital para a nossa argumentação:

---

17 *Parnaso brasileiro ou Coleção das melhores poesias dos poetas do Brasil, tanto inéditas como já impressas*, 2 v. Rio de Janeiro: Tipografia Imperial e Nacional, 1829-31, v. II, 5º Caderno, p. 6.

É porém muito de notar que os estrangeiros sentiram melhor o mérito do *Caramuru* do que os portugueses, e brasileiros, pois que M. Garay de Monglave o julgou digno de tomar o trabalho de fazer dele uma tradução francesa, que publicou pela imprensa.[18]

Uma breve análise cronológica das edições do poema sugere não apenas que foi redescoberto pelo Romantismo (enquanto o *Uraguai* vinha tendo sorte mais regular), mas que então conheceu o fastígio da sua voga. A 1ª é de 1781, Lisboa; a 2ª, de 1836, mesmo lugar; a 3ª, de 1837, Bahia; a 4ª, de 1845, Lisboa; a 5ª, de 1878, Rio; a 6ª, de 1887, Rio; a 7ª, da mesma cidade, não traz data, devendo ser dos decênios de 1880 ou 1890; a 8ª, última até agora, é de São Paulo, 1944.

Assim entre 1781 e 1836 apareceu uma única edição em 55 anos; de 1836 a 1878 apareceram quatro edições em 42 anos, isto é, mais ou menos uma por dez anos; de 1887 a 1961, em 74 anos, apareceram três edições, ou seja, uma a cada 25 anos. Dentro do período romântico ainda é possível demarcar uma fase inicial, caracterizada pelos ímpetos de inovação estética, no qual o *Caramuru* foi editado três vezes em nove anos (1836-1845), isto é, uma edição de três em três anos.[19]

Estes dados ajudam a verificar que de fato houve uma concentração de interesse no momento do Romantismo, — verificação reforçada pelas manifestações pessoais dos escritores,

18 José Maria da Costa e Silva, op. cit., p. 262. **19** Artur Mota, que não menciona a "edição popular" de 1887, menciona, em compensação, uma de 1843, que seria, pelo que se depreende, a 1ª dos *Épicos brasileiros*, de Varnhagen (*História da literatura brasileira*, 2 v. São Paulo: Editora Nacional, 1930, v. II, p. 250). Ora, este, na "Apostila acerca desta edição", data de 20 de julho de 1845, sem qualquer menção à tiragem anterior. Como na folha de rosto vem a referência "nova edição", talvez isto haja induzido em erro Artur Mota; na verdade, o editor estaria querendo dizer que a sua era nova em relação às que a tinham precedido, organizadas por outros.

que louvam no poema o seu nacionalismo inspirador. Andando por Paris, antes de 1836, Gonçalves de Magalhães encarna a pátria na heroína de Durão, lembrando que

Aqui Paraguaçu, filha dos bosques,
Do esposo ao lado entrou extasiada,
Vendo a grandeza da europeia corte.
Um rei lhe deu a mão; e uma rainha
Da boca sua ouviu as maravilhas
Do seu caro Brasil, então deserto.

Notemos que a descrição da terra é transferida do português Diogo à lídima brasileira, talvez por inadvertência, talvez num intuito simbólico. Noutra poesia, para falar da saudade, evoca "a delirante Moema [...] quase insana" e "Lindoia, entregue à dor". Mas, revelando como os dois poemas eram pouco conhecidos, explica em nota quem são estes personagens.[20]

Depois dele, manifestam-se favoravelmente a Durão e Basílio, como precursores da literatura nacional, homens tão diferentes quanto Araújo Porto-Alegre, Joaquim Norberto, Pereira da Silva, Santiago Nunes, Fernandes Pinheiro, José de Alencar, Álvares de Azevedo e outros mais, no sentido de caracterizar o *Caramuru*, ao lado do *Uraguai*, como encarnação do espírito particularista e nacional, que os românticos desejavam a todo custo vislumbrar no passado, a fim de sentir a presença de uma tradição que apoiasse e desse foros à sua tomada de consciência.

20 São as poesias: "Um passeio às Tuilerias" e "Invocação à saudade", em *Suspiros poéticos e saudades*. 3. ed. Rio de Janeiro: B. L. Garnier, 1865, pp. 101 e 292.

* * *

O processo descrito parece confirmar a hipótese inicial: na formação de uma consciência literária de autonomia, eclodida com o Romantismo, o *Caramuru*, que teve então o seu grande momento, desempenhou uma função importante, graças ao caráter de paradigma, ressaltado pelos referidos escritores franceses. Isto foi possível, em grande parte, por causa da natureza ambígua do poema, tanto na estrutura quanto na configuração do protagonista. Daí terem podido os precursores franceses e os primeiros românticos brasileiros operar nele uma dupla distorção, ideológica e estética. Ante um poema que poderia ser tomado, tanto como celebração da colonização portuguesa, quanto como afirmação nativista das excelências e peculiaridades locais, optaram pelo segundo aspecto, encarando a obra como epopeia indianista e *brasileira*. De outro lado, no complexo estético da epopeia, apegaram-se de preferência ao elemento novelístico e ao toque exótico, vendo nela uma espécie de pré-romance indianista. O *Uraguai*, talvez mais imitado e sem dúvida muito superior, teria influência sobretudo em sentido lírico.

Do ponto de vista metodológico, podemos concluir que o estudo da função histórico-literária de uma obra só adquire pleno significado quando referido intimamente à sua estrutura, superando-se deste modo o hiato frequentemente aberto entre a investigação histórica e as orientações estéticas.

Notas bibliográficas

1. "Crítica e sociologia" [pp. 15-29], inédito.

2. "A literatura e a vida social" [pp. 31-56], publicado com o título "Arte e vida social" no *Boletim de Psicologia*, n. 35-36, São Paulo, 1958.

3. "Estímulos da criação literária" [pp. 57-90], inédito.

4. "O escritor e o público" [pp. 93-110], publicado como capítulo da obra coletiva dirigida por Afrânio Coutinho, *A literatura no Brasil*, v. I, t. I. Rio de Janeiro: Editora Sul-Americana, 1955.

5. "Letras e ideias no período colonial" [pp. 111-131], publicado como capítulo da obra coletiva dirigida por Sérgio Buarque de Holanda, *História geral da civilização brasileira*, v. I, t. 2. São Paulo: Difusão Europeia do Livro, 1961.

6. "Literatura e cultura de 1900 a 1945" [pp. 133-166], publicado em alemão, em duas partes, com títulos independentes, no *Staden-Jahrbuch*, n. I e 3, São Paulo, 1953 e 1955.

7. "A literatura na evolução de uma comunidade" [pp. 167-199], publicado com o título "Aspectos sociais da literatura em São Paulo", no número comemorativo do IV Centenário da Cidade do jornal *O Estado de S. Paulo*, jan. 1954.

8. "Estrutura literária e função histórica" [pp. 201-227], publicado com o título "Estrutura e função do Caramuru", na *Revista de Letras*, Assis, n. 2, 1961.

Antonio Candido de Mello e Souza nasceu no Rio de Janeiro, em 1918. Crítico literário, sociólogo, professor, mas sobretudo um intérprete do Brasil, foi um dos mais importantes intelectuais brasileiros. Candido partilhava com Gilberto Freyre, Caio Prado Jr., Celso Furtado e Sérgio Buarque de Holanda uma largueza de escopo que o pensamento social do país jamais voltaria a igualar, aliando anseio por justiça social, densidade teórica e qualidade estética. Com eles também tinha em comum o gosto pela forma do ensaio, incorporando o legado modernista numa escrita a um só tempo refinada e cristalina. É autor de clássicos como este *Literatura e sociedade* (1965), *Formação da literatura brasileira* (1959) e *O discurso e a cidade* (1993), entre diversos outros livros. Morreu em 2017, em São Paulo.

Grafia atualizada segundo o Acordo Ortográfico da Língua
Portuguesa de 1990, que entrou em vigor no Brasil em 2009.

Este volume tomou como base a 13ª edição de *Literatura e sociedade*
(Rio de Janeiro: Ouro sobre Azul, 2019), elaborada a partir da
última versão revista por Antonio Candido. Em casos específicos,
e a pedido dos representantes do autor, a Todavia
também seguiu os critérios de estilo da referida edição.
O texto de orelha, redigido originalmente pelo
próprio Antonio Candido, foi mantido.

capa
Oga Mendonça
composição
Maria Lúcia Braga e Fernando Braga,
sob a supervisão da Ouro sobre Azul
preparação e revisão
Huendel Viana
Jane Pessoa

Dados Internacionais de Catalogação na Publicação (CIP)

Candido, Antonio (1918-2017)
    Literatura e sociedade : Estudos de teoria e história
literária / Antonio Candido. — 1. ed. — São Paulo :
Todavia, 2023.

    Ano da primeira edição: 1965
    ISBN 978-65-5692-409-0

    1. Literatura brasileira. 2. Ensaio. 3. Teoria crítica.
4. Literatura — Crítica e estudo. I. Título.

CDD B869.4

Índice para catálogo sistemático:
1. Literatura brasileira : Ensaio B869.4

Bruna Heller — Bibliotecária — CRB 10/2348

todavia
Rua Luís Anhaia, 44
05433.020 São Paulo SP
T. 55 11. 3094 0500
www.todavialivros.com.br

Acesse e leia textos encomendados especialmente
para a Coleção Antonio Candido na Todavia.

www.todavialivros.com.br/antoniocandido

fonte Register*
papel Pólen natural 80 g/m²
impressão Geográfica